JN084051

エコノミストの眼

——開発の世界に埋もれて——

今井正幸

彩流社

目　次

第 I 部

日本のエコノミスト、繁栄のアジアの世紀を語る
"un economist japonais parle sur l'ère prospère de l'Asie"
——ヨーロッパ大學出版（仏語）の要約——

はじめに

　読者諸氏にこの簡単なレジュメ集をご一読願えるのは筆者の望外の喜びである。ありていに申せばこの原本となった弊書 *"un economist japonais parle sur l'ère prospère de l'Asie"*（『日本のエコノミスト、繁栄のアジアの世紀を語る』）を眺めて頂ければなおさら幸せである。

　これは1982年からフランスの開発経済学会〔第3世界〕に毎年参加し、論文を発表して参加者と討議した記録である。基本的に順守した方針は昔ソルボン・パンテオン大学で指導を受けたとおり自らが最もよく知る対象をヨーロッパのセオリーで検討するという方法であり、そのため対象はアジアの統合の課題をヨーロッパの経験に照らし合わせながら論じた。従って対象としては読者の周知するものであり目新しい題材ではなかったかもしれない。

　しかし原文は相当数のフランスの書籍、資料を題材として作成している。また、しばしば東欧諸国やヨーロッパのＥＵそのものの趨勢を論じたのもあるが、一貫してアジアの統合は如何にあるべきかの視点を失ってはいない。従って、様々な論文を一編の書物として纏めて刊行してくれたものである。

　願わくは、読者諸氏はこのような経緯をご了解頂き原文への興味を抱いて頂きたいと望むものである。

第1テーマ：1997年の危機以降のアジアの回復と金融改革
　　　　　併せて地域の安定のための日本の貢献

―― 2002年チュニジア・チュニスで発表

はじめに

　1997年のアジアの金融・財政危機とそれに続く不況から、アジアはその

基盤が堅固なことも益して回復の途にある。

　しかしアジアのそれまでの輸出志向型の経済構造は変貌してきたし、域内の協力の機運は高まり、それまで小さなアメリカとまで称せられてきた日本はその視線をアジアに向けた。日本は経済不況により ASEAN 諸国から少し引き上げたが、再投資の実績は増えている。

　この 20 年を通じてこの地域の協力の必要性の認識は強くなった。しかし依然としてアジアの統合という目標は具体性を示さず、その制度を構築するアジア諸国の行動は見られなかった。しかし、具体的な共同歩調はこの危機に対して日本をはじめとしてアジア諸国がとることができ、次なるステップに向けた機運が高まった。

1　危機によって強化されたアジア諸国の行動
1-1　アジア経済の展望
　教育など基礎的分野への投資や貯蓄性向の良好さなどから、将来、高い成長が見込まれうるであろう。

　筆者が有識者に現実を忠実に観察し、正確に把握して考えを示して頂きたいのはアジアの統合とアジア諸国に影響を与える大国アメリカとの係り合いである。

　総括的に APEC を造り、その枠組みの裏で、大国アメリカがリーダーシップを取って加盟国を我が意の方向に誘導しようとする。この構想、この愚を全当事国が止めて、全アジアの集団 vs 米国の型を志向することである。

1-2　アジア経済の独立性への意志
　1997 年以降のアジア諸国の貿易のパターンの変化からこの域内の相互の貿易関係の増進から自由貿易を志向する AFTA の協定を尊重する機運が高くなった。この地域内における垂直的また水平的労働の分業が可能になった。最近の恢復はその傾向を示している。

1-3　危機の原因（タイ国の場合）
　東南アジアと言うがここでは 4 つのアジアに絞ってみると中進国に類する香港、韓国、シンガポール及び台湾がそれに該当する。それに続いてタ

イは 90 年の初めから急速な大工業化を進めたが、国内の金融他いくつの分野では制度の整備が未熟であった。この状態で IMF の指導などに従い外国資本を取り入れたが、1993 年から 1996 年の間にバブル経済の様相を呈した。国際投機筋はタイバーツを目標にして 1997 年の夏から攻めた。

　国際機関は、IMF、世界銀行、OECD がこぞってタイ国の未成熟な財政、金融シスステムを非難した。とくに IMF は可能なリスクに対する予防措置について警告したにもかかわらず、それに従わなかったと非難している。しかし、タイのファイナンスのシステムがまだ弱いものであることが知られているのに金融自由化、外資導入推進を勧めたのは最初から矛盾しているとしか言えない。またその総需要の抑制策は更に同国の混乱を深めることになった。

2　復活への道と改革すべきアイテム

2-1 財務・金融センターの改革（省略）

2-2　資本の国際移動の自由化と規制

　資本の国際移動の自由化とその規制は相関関係の課題であり、重要な検討を要す。

　マレーシャは自らの力で資本のコントロールとクレジットコントロールを採用した国として重要な国の例である。結果としてその時点では成功した。

2-3　国際金融システムの強化への努力

　この機に IMF の改良が強く提唱された。IMF は各国の金利を上げるよう指導したがその結果も得られず、資本流出は止まらなかった。そして各国はその指導に従わないことを決めた。同時に INF の早急に改善すべき案が提示された。

2-4　アジアの域内の努力

2-4.1　域内の国国の協力の必要性

　域内の協力の必要性が認識された。そして 2000 年の 11 月にはマニラで東アジアの 3 国の共同宣言が採択された

2-4. 2, 3, 4.（省略）

2-5　自由貿易市場の創造をはじめボンド・マーケットの育成や交換レートの安定が議論され対策が取られた。開発の段階がアジア各国で異なることを前提にして様々な方策を取ることが議論された。

3　アジア地域における日本の役割

3-1　国際通貨の安定

　1997 年に提案したアジアの開発基金（仮称 AMF）の提案は IMF と米国に拒絶された。

　AMF は IMF が第 2 次大戦以降行ってきた作業を 2 重に行うものである。これは受益国にモラルハザードを起こさせる。これは提案されたが何等詳細な計画が作成されていない。などの理由でにべなく却下された。しかし、翌 1998 年にはほぼ同じ趣旨の新宮沢計画として提示され、これは同意された。というのは、金融危機はアジアの危機に続いてロシアやブラジルに伝播し米国はこれ以上伝播するのを憂え、中国も宮沢案に全面的に賛意を示したからである。

結論

　結論として 4，5 点を挙げて置く。1）アジアの危機は素早く回復の途に就いたが、この間に 1 億人に近い人々が影響を受け苦しんだことを忘れてはならない。2）各国は改革の諸制度を採択したが、バブル経済の恐れを忘れてはならない。3）IMF の改善は急がねばならない。出資金の比率は改善すべきであるし、国際投機筋の監督は強化されねばならない。4）米国のグローバリゼーションは依然として続く。しかし APEC の枠組みでなくアジア自身の協力の推進によってアジアの統合を目指さなければならない。5）アジア諸国は米ドルは国際基軸でなくて本質的には米国自身の通貨である事実を認識しなければならない。

　これ等の意見は過激であるとか非現実的とかナショオナリスチックとかと評されるリスクがある。しかしこれ等は到来しつつある米国のグロー

バリゼーションから自らを守るには、この動きをヨーロッパの集合体の
EU から支持を得ることによって取りうる唯一の方策である。

第2テーマ：アジアの経済統合はヨーロッパ共同体の経験から
##　　　　　如何なる教訓を引きだすことが出来るか

──2003年6月パリ　トルビアックで発表

はじめに

　ヨーロッパの統合は各段階で参加国の同意を基に制度を確立することで
段階を追って整備してきた。他方アジアはその目標は掲げながらも、実態
は実利を目的として様々な協定を関係国の間で締結することをよりゆっく
りと進めてきた。これは理論的というより、近代国家として成熟度の高い
欧州諸国と途上国の多かったアジア諸国の参加者を考慮すると必然的な差
異であったと解してよいだろう。しかし、統合への手順を考察するに EC
の実例は大いに参考となる貴重な材料であろう。

　周知されるように、EU の出発点は第一次世界大戦、第二次世界大戦で
激突したドイツ、フランスの両国が戦後歩み寄って手を結び、欧州の主
要産物である石炭と鉄鉱石の共同運営を試みたことに端を発する。EEC、
EC をへて EU に至り、ついに多年の目標である通貨統合ユーロの実施ま
でには多くの試練が有り、数多くの協定、組織運営の実績がある。

　後説するマンデルの経済統合の段階説は充分な説得力のある説明であ
る。その利点を知ると同時に生じうる矛盾をも慎重に検討して安全な方策
を考える必要がある。

1　ＥＣとアジアの統合の歩み

1-1　EC の拡大

　2002年12月、EC は 2004年から EU が 25か国の参加国となると宣言した。
この拡大は旧東欧圏と言われるソ連圏に組み込まれた旧共産主義の国々を

含むいわば体制の異なる国、経済格差のある国々を経済統合で出来上がってきた先進国が相当程度包晶（ほうしょう）するという形であり、アジア内にも相当存在する格差のある国をメンバー国に取り入れる場合には考慮すべきあるいは為してはならない諸事項を検討する有益な実例であろう。

1-2　アジアとヨーロッパの違い

　経済統合の動機は異なる。すなわちヨーロパは二回の大戦の後、再び戦争を起こさないという固い意志の下統合への歩みを始めた。他方アジアにはそのようなモチベーションは働いていなかった。アメリカ指導の下に共産主義への防波堤の役を担うと言う漠然としたものであった。

1-3　ヨーロッパ各国は社会そのものは互いに相違していても、近代的民主主義の国家という尺度を用いると極めて同水準に近いくらい発達していた。他方アジアの国々はまだ国家として未成熟な国が多かった。一例として日本はその中では先進国として位置付けられたが、政治的経済的には米国に追従する国とみなされていた。

1-4 米国との関係

　ヨーロッパも米国に影響されていたがその独自性は維持していた。他方アジアは各国が個別に米国に政治的、経済的に従っていたので統合の方向に向かうとき常に米国の同意を得る必要があった。

2　政治提携の進展

2-1　経済的提携関係については、シンガポールで 2002 年に日本はアジアで経済協力を拡大する方針を公表した。そして両国の間に最初の自由貿易協定が結ばれた。これを拡大するには EU がとって来た拡大の経緯は極めて参考になる

2-2　円を含む 3 種の通貨の平均で国際決済を行う提案をしたが、円はまだ国際通貨として認められておらずこれを受け入れる国はなかった。

2-3　予想される協力のプロセス

　幾つかの点が指摘できるが、まず日本の米国からの独立、参画者全員の統合に向けてのコンセンサス、速度は異なるものの拡大協力関係は EU の

経験から学ぶべし。ヨーロッパの独仏に倣って、極東でも日中韓は提携して経済統合を牽引する役を担うべし。

　また共通文化を育成することの意味を解すべし。日本は 10 年以上、経済的不況に苦しんだが、この経済協力が国内をも活気づけることを学ぶべきである。

3　経済協力を推進するための経済・政治のプロセス

　自由貿易協定は経済協力を推進させるために不可欠の要素である。ASEAN は相当度これを実現してきている。実績として「2002 年において域内の輸出の 23.2%、域内輸入の 21.6％を占めるに至った」

　次に為替相場の安定をみると、円に基礎を置く相場の安全装置はまだ未達成である。円以外の通貨を用いてシステムを構築することも検討しなければならない。

　ドル以外の通貨を用いて通貨の安定を図ることに米国は反対を示してきたことはアジア版 IMF の創設に反対したときから明白に示されていることであり、アジアはこの同意を得るには他のグループ、特に EU の同意を得ることが不可欠である。

　アジアの統合の参加国も少数では行い難い。しかし当初はコアになる少数国で始める方が実現性が高いことをヨーロッパの経験が示している。

　最後に円の国際化について 3 つの視点から考察してみると

①円ゾーン　これは日本には好ましいがアジアの国々は同意しないので実現は出来ない

②欧州での例に見るごとく、例えば独マルクは EU 内の安定した通貨であったがやはり参加国は共通通貨のユーロを創造することを選好したことでわかる。

③この共通の籠の中で参加国が円の参加比率を高めていくと円の国際化を進めていくことに好ましい要素が増えていくことになる。

4　経済協力のうちで外国直接投資の占める位置

4-1　アジアの経済安定の回復に占める日本の役割

この役割の中で直接投資の役割を強調しているのは次に述べる2点からである。

まず直接投資は経済成長を高め資本の国際的移動の自由を高める。

アジアはユーロッパと違って制度化を増やすことをあまり歓迎しない。代わりに実物による協力を進捗させるのを望む。従い、1997年の危機の後もアジア諸国は日本が援助よりも一層、直接投資を活性化することを日本に公に望んだ。

4-2　外国直接投資の最近の傾向

アジアの危機の後、日本の投資はアジアから中国へ向かった。この傾向は2000年の初期まで続く。同じくヨーロッパの例に見るよう外国直接投資は金融の自由化に伴ってその勢いを増している。

結論

1　アジアの経済協力の必要性とその効果

アジアの危機以前にはアジアはドル体制の下で成長すればよいと考えていたが、この危機を境に通貨についてもアジアの協力の必要性を各国が認識した。

2　地域経済統合への道

ヨーロッパの経験を見てASEANプラス3の諸国は共通のインフラ開発の必要性を認識し、メコン河流域の共同開発に着手した。

3　統合は様々な形になる

各セクターで様々なプロジェクトが適切な方法で採用されるリズムも様々な形で進められるであろう。

第3テーマ：単一通貨を創造するという経済的要求が加盟国全体に顕著に見られるが政治的な安定と各国ベースの政治的動向は如何に

——2004年5月フランス・ナンシーで発表

1-1　経済統合と貿易と投資の自由協定

経済の部門では自由貿易協定の進展が相当の実績でみられる。

1-2　政治問題

日本・中国間の政治問題は両国の経済的な協力関係を妨げて来たし、今後もしばしば障害として立ちはだかるであろう。しかし、両国の度重なる協議と両国民の相互の行き来によって少しずつ改善が図られると期待する。貿易をはじめ実用的な分野、経済の相互依存の増加は過去、数知れない不協和音が双方にとってマイナスであることを認識している。

問題の焦点にあるのは対米関係であり、日本が絶対的な米国依存を続ける限り、これは困難が伴うであろう。アジアの経済統合を先行させて対米依存を脱するのが現実的な解決法かも知れない。

1-3　欧州とアジアの関係

最近の双方の会議で6つの目標を掲げた。

① EU の拡大と宣言により平和的な安定を目標とする。

②貿易と投資の自由化。

③域内の遅れた国の発展を推進する。

④人権とデモクラシーの援護。

⑤ EU とアジアとの協定をフォーラムの方法で造る。

⑥ヨーロッパの裏のアジア、アジアの裏のヨーロッパという意識を造り上げる。

いずれも抽象的なプロパガンダの段階であるが、具体的な協議を経れば何らかの成果を期待することが出来るであろう。

2 日本の東アジアとの自由貿易協定

2-1　アジアではFTAが停滞していた自由貿易の推進を図るか。

遅れの原因は

①各国の発展の相違。

②域内貿易が少なく、米国、日本との交易が重要だった。

③各国はあらゆる面で米国に依存していた。

日本がアジアとの協力に積極的ではなかったのも、これらに起因する。

2-2　アジアはFTAの推進に熱意を示した。

2-3　日本の投資　直接投資

非製造業投資から製造業投資へと1980年頃から移行した。証券投資がそれに続いた。

2-4　中国市場への投資が最も有利だったが、この市場では金融システムの不備とか私的所有権保護がないなどの問題に直面した。

3　アジアの統合におけるアジアの交易と投資の役割

3-1　ALE（自由貿易協定）とIDE（外国直接投資）の相互作用

3-2　将来の経済統合に向けてのALEの役割

ALEとIDEは緊密に連関しているが、日本の理論家は別々に分けて論じる傾向が見られた。

ALEは今日、市場にすぐ影響を与えるものではない。だが他方、IDEは海外の統合された市場即ち自由な広いマーケットを期待していることは明白である。

3-3　経済統合における直接投資の役割

日本の海外投資は1985年のプラザ合意以降、急速に円高が続き、これが直接投資を促進する要因となった。これは実績によって顕著に示されている。

3-4　共同市場は投資を誘引するには極めてよい条件になる。

ASEAN諸国は壁を置かないで外資を導入したが、余り際限なく外資を入れると投機マネーが入るリスクがある。同時に投資家は投資市場の金融

が不安定な場合は投資を手控えることが知られている。

結論

1. 1990年の終わりに至るまで、東アジアとASEANには地域の経済統合を行うという強い動機が見出せなかった。これにはいくつかの原因が考えらるが、1997年に到来した金融・経済危機からはアジア諸国が自分たちの間の緊密な協力を求めるようになった。

2. アジア地域内では、各々の投資政策によるよりも、市場の開放度や製造過程の好条件によって投資が促進されている。

3. 投資をするに当たっての種々のリスクは、隣国に直ちに伝達されることになる。

4. APECのメカニズムによって資本の自由移動を期待したが、結果は全く得られなかった。そしてASEANの国々は、90年代以来の国際通貨の操作による苦い経験から、アジアの国々内部での協力関係に期待するようになった。

5. また、東南アジアと東アジアの連携において、中国と日本の主導権争いは障害となった。経済的より政治的な困難のゆえに相互の近づきには年月を要するが、とにかく両国が協力関係を形成することはアジア全体に対しての義務になりつつある。

第4テーマ：EUに参加後の経済的・政治的回復
——ブルガリアの実例——

—— 2006年5月に仏アラスで発表

はじめに

　2007年にブルガリアとルーマニアはEUに加盟すると決定された。

　この国々は近い将来、発展を見込まれるが、それを主に次の3点から見ていく。

①経常収支の赤字の改善を目標とする工業化政策
②カレンシー・ボード制を継続することを含む金融政策
③外国から直接投資の誘致および経済発展とEUROへの参加の展望

1　経済の現状

　ブルガリアは1997年から経済復興を遂げ、2007年にEU加盟を目標にした。他の国の例も検討しながら、ブルガリアの経済事情を検討した。

　多くのエコノミストの分析によれば、この2国はEU加盟に適格と言える。

　経済成長率、製造業、貿易など全ての分野において1998年と対比し、2006年には約倍増している。

2　工業発展

　2002年から2006年まで、工業は顕著に成長してきた。また工業の分野で民営化は促進された。民営化の問題は検証する課題が多いが、多岐に亘るので、別途、特別な課題として取り上げねばならない。

　民間の工業部門は私的資本の形成を図るために、マス・プライバティゼーションなどの方法を用いたが、中でも外資を呼び込むことがその近道であった。

　工業化の4つのポイント。工業化を推進させるためには次の4点を指摘しよう。

①熟練労働者の不足と非熟練労働者のストライキがすでに見られる。政府は、たとえば資金の手当てをするなどして労働者の育成を図る必要がある。

②ブルガリアの工業は、現状では例えば自動車産業など下請けになる方がよい。しかし近い将来には付加価値を増加すべく総合的な工業化を進めることが必要であろう。

③機器は中古を修繕するより新規のものを入れる方が効率的である。

④この段階では、工業セクターでは外資に依存するしかない。

3　カレンシー・ボード制と国内金融政策

3-1　カレンシー・ボード制

　ブルガリアは 1997 年の金融危機の後、カレンシー・ボード制を選択した。そして、国民と企業にデフレーションの苦難を耐えることを強いた。初期段階では、カレンシー・ボード制の実施は国内のインフレを鎮静化し、市場の安定化によって投資を呼び込む効果を上げており、一応成功したといえる。1998 年から 2005 年の経済指標は全体として同国の経済復興を示している。

　第 2 に、金融の危機は、指導者に物価上昇に注意する必要があることを教えている。

　第 3 に、このシステムは心理的に先行きには外国金融の加入を容易にすることに効果がある。しかしながら、マフィアの行動によって金融市場が不安定化することには十分留意しなければならない。

3.2　ブルガリアの金融・銀行システム

　外国投資が金融市場の資本の大部分を占めるようになってから、ブルガリアは外銀に大なり小なり依存した。とりわけドイツの金融機関が大きな比重をしめている。これはブルガリアの銀行業のうちとりわけ外為作業の技術の向上に大いに寄与した。

　個人のユーロの使用などは制限されたが、全体的に金融は自由化された。しかし外国銀行が市場の独占化をしないように注意を要する。

　加盟に関し EU の委員会との協議も難航するであろうが、この交渉における努力はぜひとも必要である。

4　直接投資の奨励策

　金融経済危機の間は直接投資の受け入れも期待できなかったが、経済が回復し、安定してからは年々投資を受け入れることになった。

4-1　ブルガリアへの直接投資の特色

　他の中東欧諸国への投資との違いを見てみると、製造業への投資が割に

少ない。他方、銀行や観光業への投資は顕著である。これは銀行の技術の蓄積には寄与した。他方、観光業は投資額も小規模で投資が容易であるが、ギリシャからの投資が多い。しかしブルガリアは余りこれに力点を置いてないようである。

4-2　投資を奨励するための勧告

①インフラを整備する。

②教育と訓練を強化する。

③市場を拡大する。

　つぎに日本企業による直接投資の例を見る。

　日本の ODA を利用して、社会主義体制の時、ホテル・ケンピンスキー（旧ヴィトーシャ、最初はニューオータニ）を造った。ブルガス港の再開や、ソフィア地下鉄の延長なども行った。しかし、この過去の年月、日本企業は中東市場に関心があり、ブルガリアにまで関心は及んでない。関連企業とのインタビューによって次のような点が明らかになった。

ⅰ　市場が狭くて外部にひろがることは期待できない。

ⅱ　技術レベルが高くない。自動車の組み立てもまだ行っていない。

ⅲ　工場設立が難しい。たとえば用地の手当てなど

ⅳ　労働者の質はまだ日本企業に知られていない。

　日本企業への投資ガイドブックのようなものを作成したい。

結論

　将来への見通しを結論として述べたいが、工業とか政府の目標とすべき点などに限られたものとする。

1　安定した成長

　安定成長が望ましいので、WIIW のエコノミストが用いているブルガリアの奇跡的成長とか例外的なスピードによる経済拡大という見方には賛成できない。

　政府も慎重な経済政策をとれば EU に参加するまで再び危機に陥るリスクはないと見られる。

2　工業発展

　工業発展で国際収支が改善できるが、他の産業はたとえば農業は国際競争力があるか。工業の水準は十分で、中小企業は十分発達しているかの諸点では満足のできるものではない。

3　カレンシー・ボード制と国内金融政策

　カレンシー・ボード制を経済安定政策として用いたことはよいが、続いて国内金融制度の安定を図らねばならない。

4　直接投資の奨励

　ブルガリアは1996年前後の経済危機から回復の後、外国直接投資を奨励したが今後もこれを継続することが望ましい。

第5テーマ：東アジアの経済統合と地域内の政治についての展望
―― 2009 年 5 月ルクセンブルグで発表

はじめに

　最近40年間には国際的な金融・経済危機に見舞われた。1990年の終わりにアジアの危機、つづいてロシアの危機、メキシコの危機ついには2008年末にはリーマン・ショックと呼んだアメリカの危機によって世界的に経済・金融危機を与えている。アジアの危機に際してはアジア太平洋地域ではAPECの指導と称しながら相当程度米国の指導に従ってきた。この時期に日本はまたしても円高不況で国内では苦しむのだが、国外には1980年半ばから外国直接投資を増加させた。2000年に入り様相は大きく変貌し、中国が輸出を増進させ、その存在を国際的にクローズアップさせ始めた。この中国と日本の競争関係がアジアの統合の大きな障害とみなされてきた。周知のごとくこの両国はともに米ドルの最大保有国であり、アジア諸国は依然として米ドルを慣性の法則に従っているか主要通貨として用いている。従って、米国はアジアの諸国からは頼りにされる立場だったが、すでに他の国からたとえば中国からSDRを国際基準通貨として用いる案が

出されている。日本は米ドルを巨大な額で保有しているが、国内では公的債務の増大で苦しんでいる。果たしてアジアの他の国からの要望に応えて通貨の協力ができるだろうか。

1　日本資金のアジアへの流れと地域協力
1-1　アジアに流れる日本の3種類の資金
　途上国へ流れる資金は公的援助と相互の貿易関係とはほぼパラレルに増減することが看取することができる。直接投資の動機は種々の要因で説明されてきている。例えば安価な労働力を求める、為替相場の高騰などなどである。しかしこれ等のビジネス関係の協力関係では金融危機を防ぐには十分でないことも各国で自覚させられた。
1-2　アジアの域内の金融協力の制度化
　スワップ協定の役割は次の段階でアジア各国に認識された。すなわちアジアの金融危機に際して日本はマレーシャの発案になるアジア版のIMFの設立を提案したが、IMFと米国に拒否された。続いて日本はスワップ協定でアジアの危機に対応することを提案し同意を得た。しかし、それは90％まではIMFの指導下に置かれる事を義務付けられた。このことはアジアで資金協力をするにも日本は米国の支配を免れないという事を示していたが、後日2008年に至ってこのスワップ協定の対象額を245億円に増額させ、より自主性を高めるような姿勢を強めた。
1-3　地域協定の概念
1-3.1　Pr. Philippe Hugon の見解ではアジアの地域統合の概念は極めて弱いものであり、地域内での縦型の労働の分業を行う必要を説いたものとも解すことが出来る。アジアの諸国は初期段階で米国がWHOをベースとした労働の世界化を提案したが同意せず地域化を選好した。Bela Balassa やViner が主張する貿易転換効果や貿易創出効果を地域統合の論は全て信奉している。アジア諸国の発展は赤松教授や小島教授が初期のころ説明を試みた雁行形態発展のプロセスを取っている。Bela Balassa は経済統合のプロセスを5つの段階で説明している（図1）。筆者は金融統合は最後の段階で

図1　経済統合の各段階

	市場の統合			金融の統合	経済政策の統合
	関税の撤廃	貿易の共通政策	経済要素の自由移動	固定相場または単一通貨	共通経済政策
自由貿易					
共通関税					
共同市場					
金融統合					
経済・金融統合					

（註）マーストリヒト協定で宣言された UEM（経済・金融統合）は真の経済・金融統合ではない。何故かと言うと経済政策のいくつかの要素（為替政策・金融政策）を共通にしても、予算政策、財政政策は依然として別個の各政府に委ねられているからである。

あり他の要素が全て一定の段階に満足できる水準まで発展し且つ国際金融市場からの攻撃がないという状況までは行うべきでないと思考している。

1-3.2　アジアにおける日本の地位の拡大の過程

　日本はアジアと西欧諸国および米国の間で揺れ動いてきた。そして 2003 年を境にアジア諸国との貿易関係が米国を抜いて増大した。海外投資については 1990 年半ばからアジアに加えて中国を重視するようになった。1960 年の中葉から 2005 年にかけての日本のアジア地域への貿易量の増加の推移と特に中国への経済進出を考察すると、この期間のアジアと日本の経済的関係が如何に増大しその重要性が増したかを看取できる。しかしながらこれらの経済的関係を組織化するについては未だに漠然としており近隣国には新たに米国と組んだ日本に軍国主義が復活するのではないかという漠然とした疑念がある。

第 6 テーマ：世界金融危機はアジアの統合の制約になったか。逆に促進することになったか？

──2010 年 6 月ストラスブールで発表

はじめに

　アジアの地域合は理論的にも実質的にも多くの利益が見込まれるが、全

ての国はどんな条件下でもそれに参加するとは見込まれていない。1989年の大不況で米国の経済状況は他の国にも影響を与えた。また自らの投資は再び対象を軍事産業に向けられる傾向を示した。

　アジアの金融経済危機はアジア諸国に貿易の自由化や金融の相互協力——スワップの形態——の促進を促した。

　国際政治にも変化を来たし、大国の集団であるG7に代わって中進国の集団であるG20にも国際的な問題についてその発言を尊重せざるを得ない状況が現れた。これら一連の動きは世界銀行やIMFおよび国連のうちにも斬新的に変化を齎した。アジア太平洋途上国についても米国のイニシアチヴについて変化が求められたが、日本だけがこの動きに米国を招き入れようとする方針を示した。貿易についても米国は引き続き競争力のある軍需産業は援助などの方法を用いて輸出増大を図るが、他の工業品は年を追って輸出競争力が低下し国際収支がマイナス傾向を示し続けたが、米ドルが基本通貨である限りこれを恐れも驚くこともなくこの傾向を続けた。

　日本は米国のヘゲモニーに頼る姿勢と新たな中国の国際的発言力に挟まれている。日本は2010年までにアジアの統合の方針を出すように定めたが具体的な方針は何も示す事は出来なかった。この目的に関して欧州の経験、つまり異なった諸条件、経済水準、生活水準、社会習慣，文化などなどの異なる国々が協調の努力を続け、段階的に統合を続けて行った経験から多くの教訓を引き出ことが出来るだろう。

1　世界の経済危機とアジア

　2008年のIMFの報告では米国発の実経済の危機はアジア全域に影響を与えた。また金融危機の影響はアジ全域に及んだ。しかし、2009年のIMFの報告ではアジアはその外部との関係よりも内部の均衡に努め、2009年10月には回復に向けて再成長の機運に乗ったと記録している。ともあれ、アジア諸国はこの危機の苦い経験を記憶に留め忘れることはない。

　この時期アジア諸国は経済成長が鈍化したが、中国は成長を続けた。ラテンアメリカも米国を成長のパートナーと見做していないが、アジア諸国

も統合の一員とは見做すことが出来なかった。円に近親感を持つ国として
は３か国すなわち台湾、フィリピン、インドネシアがあり、この３か国は
自国通貨と円に強い関係を保持している。他の国はアジアの通貨危機で一
時的に米ドル離れをしめしたが、依然としてドルへの依存度が強い。

2　ASEAN 諸国の主要なパートナー中国、韓国、日本

2-1　中国

　中国はアジアの危機で相当影響を受け成長が鈍ったが、それ以降、技術
向上に目を向け経済成長を続けた。中国は国際通貨決済に米ドルに代えて
SDR（主要通貨平均値――特別引き換え権）を用いることを提唱した。
　これが多数の国に適用されると米ドルを大量に保有する中国と日本はそ
の保有する外貨蓄積の価値が減少するが、実際にはこれが何時実施される
かは予想できない。

2-2　日本

　日本はアジアの一員であると表明しながら、依然として米国追従を脱す
ることはできないで過ごしてきた。アジアからの声としても、「米国でなく、
もっとアジア諸国の事を考えよ」という要望が聞こえてくる

2-3　韓国

　韓国が立場はもっとも微妙であり、中国と日本の板挟みあるいは日本と
米国との絆の強さを張り合うような立場など一筋縄ではいかない立場であ
る。しかし経済的には成長しアジアの重要な一員となっている。

3　アジアの通貨の地域主義

　この数年間にわたって欧州の経験からアジアでも通貨を統合すべきであ
るとの論が展開されてきた。しかし通貨の統合は国家主権の一部を統合す
ること、また経済水準の近隣国家間の差が僅少であることを必要とするも
のである。実際にはアジアの諸国の間の経済すなわち金融の互換性は未だ
整っているわけではない。将来的にはこの条件を整えこのシステムを導入
することも可能であろう。中国は米ドル、ユーロ、円とユアンで通貨の袋

になるシステムを創成することを提案している。

　しかしこれ等の条件は未だ熟してはいない。中国はこれ等に代わって基準通貨として SDR を用いることを提案している。これらの通貨を流通させるには、まず前提としてアジアの AMF を創設して機能させ、それから各通貨を流通させるべきであろう。

結論

　半世紀にわたって世界は幾度も通貨経済危機に襲われた。これらはブレトン・ウッズ体制の限界を示しており、またそれらは全て米国のヘゲモニーの基に行われてきている。ギリシャの危機も元は米国の 2 大銀行のコンサルトのアドバイスに従って虚偽申告で推移したこと、及び過剰な融資が行われたことに起因する。ギリシャを救助するため協力してくれとヨーロッパ側が IMF に提案した行動に賛成する。これらの危機に対するに世界規模で権力が集中することは避けねばならない。

　アジアは地域協力を 2007 ～ 2010 年の間推進した。アジア版 IMF は米国の反対があっても進めねばならない。ヨーロッパが米国との間に権力の均衡を図っているようにアジアも国際社会で一つの位置を確立すべきである。

第 7 テーマ：太平洋における多国間協定か相互の経済協力か
—— APEC か ASEAN ＋ 3 か？
—— 2012 年 6 月仏オルレアンで発表

はじめに

　日本にとっての重要な課題であり挑戦でもあった TPP 参加の論は結論を得ないまま、この 2 年間国内のマスメヂアや政府当局また学者、専門家の間で議論されてきた。TPP の反対派の結論は単純化すれば日本の産業の壊滅であり、農業、保険、医療などの分野に米国の資本がなだれ込むこと。

米国の影響のもとに世界化を受け入れることを日本にも受け入れさせる事だと説明された。この議論は国際経済と同じく国際政治の視点からも行わなければならない。

1　TPP に直面する日本──多国間 TPP か 2 国間 EPA か──

この 20 年間日本は FTA より EPA を歓迎してきた。これは主として FTA の際に農業分野での自由貿易を危惧することに起因するためであった。この間 2 つのグループが明白に対立した。農協を中心とする農業界は米国の提案に強く反対した。が他方、大企業を中心とする産業界は TPP を検討するように政府に提言した

1-2　TPP に反対と賛成の議論

農業分野は米国の大農業に潰されると反対論をぶちまけた。それ以外に健康、医療と社会保障の分野に大きな問題がある。米国ではこれらの分野も利潤の極大化を目標として運営されて来ているからである。

2　国際的な TPP に関する意見

2-1　TPP に関する外国の意見

オーストラリアでは TPP への反論が強い。これは主に TPP を利して米国の大企業が自己の権益を守ろうとするものであると言う意見が国民に広く支持を得ているからである。ニュージランドとオーストラリアは共にアングロサクソン・モデルに属している。両者とも豊富な資源を持ち農業に強い。しかし他の分野では米国企業に浸食されるのを警戒している。

エマニエル・トッドは屢々自由貿易を民主主義の敵であると説いている。規律の無い自由競争と規制緩和は多くの国でその国の基盤を突き崩していると警告している。

2-2　TPP のパートナー

日本はこの数年多くの国と経済自由協定（EPP）を締結してきた。

日本と韓国はほぼ近接した産業構造を有しているので韓国も同じ行動を

とって来た。アジアの途上国には確かにこれらは有益に作用するに違いないが、他方米国はこれを中国包囲網として利用しようとしていることは明らかである。そうすれば米国のアジアに対する米国の軍事的、経済的ヘゲモニーを強化するに違いない。

米国が APEC や TPP を活用して行おうとしているアジア支配の政策を肯定も否定もできないが日本は最大交易の相手を失うリスクがあることも考慮しなければならない。また農業の分野では大きな後退を余儀なくされるが日本の産業界はそのことを余り考慮せず、従って日本全体の利益を勘案してはいない。

2-3　他の経済セクターの位置

農業セクター以外を瞥見してみたいが、これは広範な分野に亘っており簡単には論じられない。ただ問題になる医薬、医療の分野について言及すると、周知されるように米国企業は企業規模、技術や国際的広がりから圧倒的な優位を持つ。加えて利潤の最大限の追及という視点からその医学業会の行動には一般大衆の利益は軽視されてきた。この業種はアメリカ国内から外国の顧客に的を変えて来ているが、それは日本にもアジア諸国にも危険を伴う動向である。

3　日本の将来展望

3-1　TPP について日本の将来展望

単純に是か否かの議論でなく日本と米国の国際関係を再検討しなければならない。また日本の経済の各セクター特に農業分野の再検討もしなければならない。それらを踏まえて TPP へのアプローチのビジョンを描いて対応することを要する。

3-2　国際関係の進展

3-2.1　米国との関係

第二次大戦敗戦後、日本は米国の支配下に置かれ、日本の政治と官僚機構は機能的に米国に従属してきた。国際社会の視点からこれは日本の独立性を疑わせると国内での批判が相次いだ。米国の市場とダイナミズムは日

本に数十年の間、重要な役割を持ってきた。21世紀になって他の国々との力の均衡を求めるにはASEAN＋3のような近隣諸国との連携を求めるしかない。米国は確かに50のステーツ（国家）を結合させて連邦国家となっている巨大なパワーである。しかし日本の米国への従属関係の様な不変的な関係は国際政治上、他に例をみないほど例外的な姿である。今や変化の時期が訪れたTPPはその試金石の一つである。

3-2.2　近隣国、中国と韓国との関係

　最近、この3国は接近してきている。2008年から中国は日本との貿易関係の第1位になったが、政治的には様々な問題を抱えている。この根底に日米軍事関係が中国に疑いを持たせているという事実を認識している日本人は極めて少ない。他方、中国側にも軍事力の増強が近隣国に特に日本にある種の恐怖を与えている事を重要視していないようだ。

　この問題は経済交流すなわち直接投資による双方からの接近で緩和されていくであろう。

3.2.3　TPPを目指す交渉の開始

　日本政府はTPPに加入する前提で米国とは2012年の2月21に他の8か国とは1月21、22日から2月22日にかけて交渉を開始することを定めた。

　絶対的な自由化がすぐ適用出来るか否かは疑問であり悲観論は広まっていた。

　ドーハの会議と異なるのは参加国の意見の不一致が前以て知られていたからである。

3-3 日本の経済構造に関する方針

① TPP交渉のために必要な提案

　日本の農業や医療業界はTPP成立時に備えて業界の再編成を迫られている。農業については日本の高い価格を如何にするかはまだ何も決まってはいなかった。

②農業については農耕地の規模や生産のメカニズムの改変を要する

③金融市場ではドル買いや第2財務省のドルの債券買いはさけねばならない。

結論

　日本の知識人は米国の一方的な指示に盲目的に従うのを批判し続けていた。極端な貿易のダイナミズム化は日本の経済社会構造を歪めるものである。1989 年に相互の経済的利益のためと称して行われた交渉は結局、米国のためだけのものであった。これらは日本の米国との関係を打ち切り再構築する必要があることを明瞭に示している。しかし米国との関係を断絶することは非現実的であるから新しいパートナーになっているアジア諸国との連携を基に米国とも新しい関係を築く必要がある。TPP はこの意味で日本が真の独立国か否かを示す試金石となる。

第 8 テーマ：ユーロの危機に直面するアジア諸国には　　　　　何が教訓として与えられたか
——2013 年 6 月パリ 7 東クレテール大学で発表

はじめに

　米国発リーマン・ショック（2008 年）、ギリシャの危機に続いて国際通貨危機はユーロの危機へと増殖された。日本ではユーロの溶解と言う用語をもちいて悲観論者の方が多く見られた。米国発の特に IMF の情報に依存する日本の論者だけでなく、種々の視点から論じているヨーロッパのエコノミストの論調を参考にしながらこれらの経験からアジアへの教訓を引き出す論を工夫した。

　これらの危機の国際的影響、とくに日本への影響をみていこう。分析は主として国際経済の視点で行うが、考え方には国際政治の観点で見ることを加える。本論文は 3 部に分ける。

　第 1 部は EU の経済財政の復活はただちにはありえないだろうと言う否定論。第 2 部はこの復活に要する施策の日本からの提言。そして第 3 部はこれ等を合わせてアジア諸国にとっての教訓である。

1 ユーロの危機への批判と対策

1-1 ユーロの危機について日本の観察と批判

2008 年からのユーロの危機は日本の評論家の議論の題材となった。

第 1 の原因はギリシャの公的債務の累積とされるがユーロ圏以外の国からの債務をとくに米国からの影響を考慮しなければならない。2006 年の初めから米国では銀行がサブプライム・ローンと名付けた主に不動産用のローンを国民大衆に貸し付けた。日本のエコノミストはこの 2 つの危機を別個のものとして議論する傾向があるが実は両者は極めて関係が深い。

ヨーロパの危機は屡々主権の危機と呼ばれたが、それは国家が財政破綻をする危機に面していたからである。これを日本のエコノミストは溶解と称することが多い。適切か否か再考を要するであろう。これまで引用された危機の原因の多くは国際通貨の問題として議論されているものが多い。

1-2 EU が取った対策の展開

EU はこの問題に対して政府レベルと民間レベルで多くの対策を取った。MESF とか FESF などの機関を作る案がでたが、全員合意に至るまで時間が掛かりその間に危機は深まった。日本のエコノミストにもこの事情は伝わっているが、公の制度の変革は余りに時間を要するので民間の行動に焦点を当てている。また EU 内部の南北の格差もよく知られていた。EU 参加に際して加入条件として定められた公的債務の条件は各年 GDP の 3％以内、また累積は 60％以内という紳士協定的な目標も各参加国で守られてはいなかった。しかしギリシャは特別の例外とされた。その収入と不良債務との差があまりに多き過ぎたためである。

1-3 国際機関の役割と行動

三つの国際機関すなわちトロイカと呼称した EU.欧州中央銀行。および IMF がこの解決に乗り出した。公的債務に苦しむ国の姿は勿論、ヨーロッパとアジアではその姿が異なる。これを途上国の債務累積問題の延長線上で論じた向きもあるが、本質は極めて異なる。欧州中央銀行はギリシャに対して国民がこの負担を分担するように求めた。IMF は欧州の各国がこの

負担を共有することを求めたが、EU 各国は財政規律を重んじることから
それに応じることは出来ず、当事国が国全体で責任を取るよう求めた。ま
た、欧州各国は国民にギリシャへの援助を自国が負担するのは説明できな
いとした。IMF は財政基準を厳しく定めた。IMF の役割と利己主義に欧
州側から疑問が噴出し、IMF は今までの活動と権能を廃止し、金融活動で
なく調査機関として存続すべきだという論も出た。

2　この危機の解決と未来への発展

2-1　フランスと日本のエコノミストの提案

　日本のエコノミストはユーロ圏の制度の回復能力に疑問を持った提案で
ある。IMF が債務国に提案する策は例によって交換レートを下げて輸出を
促進せよとの条項がある。しかし、これは EU メンバー国には実施不可能
である。ヨーロッパの金融危機に対する IMF の提案は全く正当化できない。
これは債務危機に陥った国に対して行う IMF の提案が常に米国の金融業
界と直結してなされることからも首肯で出来るものではない。フランスの
エコノミスト Robert Boyer の言う案の一つは実現困難であっても興味を惹
く。すなわち財政状況と経済水準の異なる南北が別れて 2 つの EU になる
という考えである。しかし政治的に思考するとこれも実施は極めて困難で
あろう。

2-2　採用された方法

　財政の統合は当初からこの 10 年、頻繁に議論されてきた課題である。
南北間の貿易収支の差は大きくそれを平準化することはできない。

　Boyer 教授の説明では、公機関がこの危機に対してその政策を実施する
のは遅く、その間に民間部門はアクションを取った。しかし優れたビジネ
スマンでもあった欧州中銀の頭取ドラギが「この危機を鎮静化するには
我々はあらゆる手段をとる」と表明したことは市場の鎮静化に役立ち、そ
れが重要な境目となった。

　ヨーロッパはユーロを保持するために安定したユーロ圏を維持すること
に注力する意思を表明した。その方策の成り行きが注目される。

2-3 日本のエコノミストのユーロの危機に対する批評

　ここで日本のエコノミストの批評を考察してみよう。

　その中のいくつかは「メルトダウン」の表現を用いて一般的に悲観論が目立った。浜矩子はユーロの発足時から悲観的でロンドン在の 2012 年には『ユーロと EU の終焉』と題する書を出している。他のエコノミストで白井さおりは IMF 勤務の経験から次々とユーロの危機を説明する著書を発表した（白井　2009、2010、2011 年）しかし、それらは国際金融の厳しいルールの説明であるが屡々 IMF の解釈に基づいている。その意見は洗練されたものであるが屡々米国の利益を重んじる傾向がある。田中素香や羽場久美子はヨーロパの視点で論じている。兎も角、日本では心理的距離感もあり課題はそれほど緊張感を与えないので抽象的議論に陥る傾向がある。

3　過去 5 年間のヨーロッパの経験からの教訓

　ユーロの発足時、それに対する懐疑論が多く見られたが 2002 年以後ユーロは成功裡に推移したかに見えたのでアジアにも通貨統合を称揚する論が現れた。しかし危機が到来してからこの積極論は下火になり経済的に異なった国々が統合することは可能かという懐疑論が再来した。しかしヨーロッパはこの格差に対してもそれを克服すべき努力を続けているように見受けられる。これらの諸問題を克服するには将来まだ多くの努力を必要とするであろう。

4　ヨーロッパとアジアに対する米国の政策

　この 2 地域の対象に対する米国の政策は基本的に異なっている。
ヨーロッパでの統合は共産主義国への防波堤として当初は歓迎したが、後半はアメリカのヘゲモニーに対抗するものとして警戒した。アジアについては、当初 ASEAN をその目的で結成させたが途中からはその目的はほとんど無い。日中韓の協調はこの米国の見落としをついているが、米国はその後この 3 国の関係が緊密化しないように画策してきた。アジアの統合は

理想家が口で言うほど実現の道は容易ではなく困難は多くたちはだかって
いている。

　国際貿易の自由化は進んでも TPP のようなルールの適用が極めて困難
であることを示している。また IMF のアジア版は実現が極めて困難である。

5　アジアの経済発展の国際経済の視点からの展望

　異なった経済、国家体制の国々の統合には事前に及び形成過程において
当事者間に強い協力関係が必要である。Boyer（2012）の指摘するとおり、
地域経済協力が必要と当事国が認識しても、超国家組織の設立はアジアで
は現在ではほとんど不可能である。しかしなおアジアの世紀と呼ばれる東
南アジアと東アジアの趨勢は世界で大きな変化を齎す夜明けである。

結論

　ヨーロッパの危機は 2012 年欧州中央銀行（BCE）のロンドンでの宣言
を機に相当平静化してきているが、まだ終焉したとは言い難い。

　南北ヨーロッパの格差は今後も大きなトラブルの原因となるであろう。
アジアの世紀と呼ばれるには十分理由のあることだが、未熟な国々の集団
であることも事実である。しかしこの世紀の声は世界の方向付けになる一
つの声になる。アジアの国、特に日本は統合を望む国ぐにに我々の間には
経済ほか様々な格差があることに留意する必要がある。また国々の間の政
治的和解は統合の大前提となることを深く理解することが不可欠な条件で
ある。（了）

あとがき

　これはヨーッロパ大学に提出した 13 の論文から出版側が 8 編選択して
完結した論文集であるが、その要約を邦訳するには相当の制約があった。
制約は　1、出版の関係で原文中の相当数の図表、参考文献などを割愛し

それが読者の理解を妨げると同時に和訳による説明を著しく困難なものとした。2、題材はアジアの統合であるが不可避的にヨーロッパの統合に視点が向いた。3、仏語の経済、開発経済の専門の読者は相当限られているので、議論をしてかみ合わない要素は不可避的に割愛せざるを得なかった。などなどであった。

　とはいえ、アジアの統合という大命題にいわば横から眺めて論じるような試みは決して無意味な事ではなかったであろう。

　冒頭に記述したようにフランスの博士課程で指導を受けた命題である自らが最も密に関係する課題をフランスの理論や経験に照らして考察せよという基本的な研究姿勢を守った。ために課題については目新しいものでなく、日本の論者が多くの研究、論文、または数知れぬ議論があったものであろう。また数多くのアメリカ信奉者からは現実論からアメリカ追従が日本の取るべき唯一の政策、姿勢なのだという強い感情論的な反論も予想される。しかしヨーロッパの経験に照らす限り、古典とされるアレクセイ・トックヴィルの言を引用するまでもなく、アメリカが自らの発展の経験を最善のものとして全世界に押し付けて自己の影響力の拡大を図ると世界は破壊されるのである。アジアもこの一つの教訓を認識して開発と国際間の協力の推進を続けねばならないであろう。

第Ⅱ部　評論

1——時事評論

1　国際石油資本の来歴が教えるイラクの戦後

石油のためのイラク戦争だったのか

　昨年末から様々な形で国際社会の駆け引きが報道されたが、今年3月から1ヶ月間で世界最強の米国軍はイラクを一挙に粉砕した。、その前後、戦争そのものについて数多くの評論や解説が氾濫していたが、1991年の湾岸戦争の際と比べて情報の質はどうであったか。この戦争の底辺をなしている国際社会の各アクターの利害関係についての正確な説明が得られていたか、はなはだ心許ない。

　この戦争は米国の独占資本が冷徹に計算しつくした世界戦略であり、石油利権の獲得、ユダヤ勢力の増強、米国内軍需産業の利得等が、外見上は膨大な消費に映るこの行動を突き動かした主要な動機であることは、まず間違いないであろう。石油利権の追求で得られる利益に比べて戦争の費用があまりに大きいと、テレビ対談で外務省出身の評論家が解説していたが、その説明は国家戦略とは、国家経済全体を考えてというよりも、一部の特定集団の権益が突出して実行に移されることは往々にしてあるという、政治の現実の姿を無視しているように映った。

　大切なことは真実の姿が様々な装飾や美辞を用いた正当化によって歪められることなく理解されることであり、マスコミが人々にあたかも米国の戦闘を称賛するような印象を与えて、この戦争が世界にとって必要であり有意義なものであったという錯覚に陥ったりさせないことである。そして、改めて国益とは何かをよく考え直して正確に理解し、米国に追従することだけが現実論ではないと知ることである。

　米国内における戦争志向の三つの要因の内、産軍複合体の利益追求は10年毎に繰り返す戦争と武器のデモンストレーションを見れば解るし、ユダ

ヤ資本が依然として米国政府を突き動かす原動力になっていることは、Ｃ
ＮＮの報道だけを取って見ても否定はできないであろう。ここでは、石油、
エネルギー資本の行動原理だけに焦点を当て、戦後処理、復興事業、石油
利権確保の軌跡を探ることにする。

デモクラシーの帝国と世界戦略

　国際市場や経済政治の情況を日々追っていると、不可避的に今現在と未
来の問題にだけ関心が集まる。それも勿論必要なことではあるが、国際政
治における課題は原点に戻ってその来歴を理解することが現在を把握し、
将来を展望するには有力な方法なのではないか。今世紀の初め、米系五社
（エクソン、モービル、シエブロン、テキサコ系、ガルフ系メジャー）に
ブリティッシュ・ダッチ・シェルの二社を加えたセブン・シスターズと呼
ばれる国際石油資本にフランス石油が参加し、イラン、イラクの石油資源
の開発と権益を独占していた。これに対して 1965 年産油国側が国際石油
カルテルＯＰＥＣを結成して徐々に石油価格決定権などの権益を奪取して
いった。イラクは革命によって王制を倒し石油権益を国有化していた。そ
してこの 10 年間にフセインは米英に代えて新たな石油開発権をフランス、
ロシア、そして中国に提供した。湾岸戦争以降の対立は米英とフセインの
両者の歩み寄りを妨げていたが、米英側は商業的に交渉するというより常
に政治的に強圧的であったというほうが実の姿であった。しかし、米国指
導の経済制裁中も一部のイラクの石油輸出にはアローワンスを与えて、米
国がそれを取り扱って来たという裏取引的な状況はずっと続いていた。

　元来、米国は 1951 年最初のイラン革命において石油の国有化を実行し
ようとしたモサデクをＣＩＡの手で追放し、自らの手で亡命先から連れ戻
し国王に仕立て上げた、独裁者シャーレビの国王体制を支持し続けた。そ
の後、1979 年の宗教独裁者ホメイニによるイラン革命に対する防波堤と
して隣国イラクのフセインを育て、それを支援し続けた。米国はイラン・イ
ラク戦争の終結後、借金まみれのイラクがクウェートを占領すると、イラ
ンへの敵対を 1 転させてイラクの壊滅を図った。この米国の変貌の跡を辿

ると、イラク戦争勃発前後の「フセイン独裁政権から民衆を解放する」「中東諸国での民主主義の確立」といったプロパガンダに翻弄されてはならない。ネオコンという集団と底辺ではつながっている軍産複合体とユダヤ資本と米国エネルギー資本の利害は一致しているのだ。

　征服後のイラクから他国を閉め出し、サウジ、イラクを押さえて国際エネルギー市場を独占的支配下に置くという課程で一時的にでも石油施設を破壊することは、彼らにとって願ってもない好機である。なぜなら油田設備復旧の技術的蓄積は米国企業の独壇場だからである。すでに石油施設復旧の名目で利権の分配に着手しつつある。砂漠のクエート国内にある緑で囲まれたＢＰの居住区や、サウジ国内にある、大学病院、飛行場、放送局を全て自前で運用するアラムコの姿を見れば、国際石油資本が資源保有国をどのように利用してきたか、そして開発を行った当然の見返りとして、そこに彼らの王国を築いてきたかが分かる。

　「第二次大戦までは英国が、戦後から今日までは米国がペルシャ湾岸に近接するアラブ諸国をズタズタにして来た」とは国際政治通のイタリア人の評であり、客観的な事実として国際社会にも通用するであろう。イラク戦争後、今度は中東和平を本気で軌道に乗せると米国は公言した。まず、米国内のユダヤ資本家層が満足のいくように、また新たなユダヤ人移民は米国でなくイスラエルに定住できるようにしたいという意図がその根底にある。イラクを「恐怖」の一言で壊滅させたのは、近隣全てのアラブ諸国を戦慄させ、反米的挙動を一切禁じる効果も狙ったものか。「アメリカ的民主主義の伝播」という目標は、建国時にアレクセイ・ド・トクヴィルが名著『アメリカン・デモクラシー』で説いたように、米国は自ら造り上げたものを最良として他国に押し付けるという宿痾の現れなのか。または米国が分割統治をするためにアラブ諸国間の利害をあおり、共同歩調を取らせないための戦略なのか。米国の世界戦略には実に怖ろしいものがある。

復興と開発への援助参加──わが国の対応
　国連安保の決議なしの開戦。我が国はこれを無条件に支持。そして現在

38

までの対米追従を続ける日本外交への批判は表面化したものだけでも相当
数ある。このような従属姿勢は縦型管理社会（上下関係の確立を以て秩序
となす）の原理を国際関係（均衡を秩序となす）に合わせてきたような異
様な感じを受ける。経済学者の小宮隆太郎も日米の貿易摩擦において「カー
ドは米国側だけが握っている」ことを前提にしながらも、縦型の政治的従
属関係に終始することの不利を説いている。イラク復興への参加も、国際
社会に印象付けた我が国の対米従属一辺倒の姿勢を前提にして思考し、実
行していくしかないであろう。

　石油施設とインフラ全般の復興については、イラクは短期間とはいえ、
一度は徹底的破壊を受けたのである。復興すべき対象は国民の生活支援を
はじめ無数にある。ただ石油施設の復旧には、技術力の不足からも日本勢
は手が付けられないであろう。専ら民生関連であり、上下水道、道路交通
など通常、途上国の開発援助の対象としてきたインフラは全て対象になる。
予想される費用は3000億ドルと言われているが、実のところは推定がつ
かないであろう。

　援助開始に先立って、過去の累積債務を棚上げにするかという問題があ
る。ここでも米国は自らは債権がないから容易にイラクに対する関係諸国
に債務放棄を主張できる。日本としては債権の多いフランスなどと協議を
行い、実行に移す必要があるだろう。

　今ひとつ政治的にきわめて難しい課題は自衛隊の派遣である。「米国は
それを歓迎する」と表現しているが、事実上は命令・要求であることは想
像に難くない。この問題は国内で立法措置を要するだけではなく、国際社
会に与える印象をよくよく理解して行動しなければならないことである。

　これらのハードルを越えると共に、インフラ部門に資金と技術と人とを
投入し、復興援助を継続的に行わねばならない。日本の負担する公的資金
援助としては推定2億円、ここでも数字が一人歩きしそうである。援助各
国とも全てを無償で行うことはできないから、将来の石油売却代金を充当
するという方法になるであろう。国内を破壊されたイラクは自らの資源を
復興の費用に用いざるを得ない立場に置かれている。

開発の対象としては現在のところ石油産業しかない。石油開発には巨額の投資が必要であり、しかも将来的には原子力、太陽熱、風力等による代替エネルギーの利用が増え、相対的に石油依存度が低下する。従って、石油開発事業の採算は経済的に成り立たないという論もある。しかし、フランス、ロシア、中国等の他国を最大限に排除して石油と随伴する天然ガスの権益を独占的に支配し、開発には時間をかけ、長期的、戦略的に市場の需給と価格を操作して、自らに有利な国際市場を形成するというのが米英の狙いであり、歴史が我々に教えている国際石油資本のやり方である。

2　イラク攻撃への対応に見る日独の隔たり

昨年３月、米国のイラク攻撃の開始に際して国連安保理が真二つに割れた。米国の攻撃に反対し、国連加盟国の多数の賛同を勝ち取って行くフランスの横にはしっかりとそれを支えているドイツの姿があった。ドイツの与党は総選挙で国民に反戦を公約し、首相は議会で力強く「開戦に対する我らの回答は否（ナイン）だ」と演説した。ドイツにはイラクでの石油開発権益の問題もなく、この政治姿勢はフランスとの協調と、戦争そのものに対する否定的認識によるものであろう。それに対し、開戦の条件として国連安保理の開戦決議を要請していながら、決議なしの開戦になると即刻米国に賛成を公表した日本の行動は完全にドイツの対極にあった。

イラク戦争後も米欧には深い亀裂があるが、同時に欧州側の米国からの完全な独立宣言と評することもできる。第二次大戦後の敗戦国として日本と同様な位置にあり、対米依存を基本方針としてきたドイツと日本が示したこの相違はどこから生まれたものであろうか。

日独の大戦後の復興と国際社会における立場

ドイツは大戦後東西に分割されたが、ベルリンの危機などの政治的困難を超えて、西独は経済的な復興と成長を遂げた。経済的強国を目指すとい

う同じ道を辿った日本に比べて、より早いペースといわれていた。復興の出発点から経済的にはマーシャル・プランの恩恵を受け、軍事的には東西冷戦下で強固な米軍基地を設けて対米依存を続けた事情は日本と同じである。

　西側が形成する国際社会への復帰は早々に実現したが、敗戦国の責めを負って国連で常任理事国になれない立場も日本と同じく今日まで続いている。現在までの日独の国際社会における立場の違いは、50年代以降西独がヨーロッパ共同体のメンバーとして国際協調の歩みを続けたことに比し、日本には同様な条件がなかったということである。

　1995年筆者がワルシャワについた翌日は連合国側の戦勝記念50周年の祝日であった。その日、ドイツの首相はポーランドの無名戦士の墓に詣で、堂々と謝罪と当面の援助額を表明した。ドイツ国民はこのように毅然とした姿をかつての被害者である近隣諸国にも、東西の大国米ソにも示してきた。それに対し、日本は公式には謝罪表明が行われて来なかった。それは謝罪にある種の卑屈さを感じたためか、または戦後米国がアジア政策を転換し、日本人を集団健忘症に陥れたことを奇貨としたためであろう。

　西独の国内政治の顕著な特徴は長期安定政権と指導者の年期が長いこと、そして国の基本精神である憲法の改正頻度である。これはフランスにも共通しているが、時代の変化に適応力を発揮しているというべきか。ここで憲法改正の是非を論じるには紙面に限りがあるが、彼我の相違として念頭におく必要がある。

　両国の被害国への姿勢の相違、ＥＵメンバーというパートナーの有無等の違いはあるが、対米依存が基本的政策となっていたことは共通していた。しかし依存の本質に違いが生じたことは疑いがない。カレル・ヴァン・ウォルフレンが『日本／権力構造の謎』の中で「第二次大戦後、世界各国は米国に依存してきた。しかし西欧各国の依存の仕方は日本のそれと根本的に相違している。」と断言している。客観的には、国際政治において日本独自の意見はなく、全て米国の意向と同じであると国外から見なされ続けてきたということである。

国際政治におけるドイツの歴史

　西独の国際政治、軍事における姿勢は大戦後から 70 年代半ばまでは基本的に対米依存／対米協調であった。50 年代末にＥＥＣが発足し経済政策は西欧と協調歩を取りながらも、政治的には東西二大国、米ソの狭間にあって核兵器の脅威を受けて、国内に米軍を駐留させていた以上それは仕方のないことであった。国際経済においてはブレトン・ウッズ体制の信奉者として対米協調を続け、ドル経済を維持する役割を担った。これも政治的な対米依存が直接影響していたためである。

　ＥＥＣのコアとなったのは独仏の連携関係であるが 70 年代まではフランスの政策とは大いに異なった。フランスは 60 年代、ドゴールの独自外交としてソ連との融和、中国の国連参加実現、ＮＡＴＯからの部分的な脱退など米国の支配にしばしば従わなかった。60 年代後半、世銀・ＩＭＦ総会で仏大蔵大臣ジスカール・デスタンがＩＭＦと米国代表をきりきり舞いさせ、その意見が受け入れられないと見るや手持ちの米ドルを金に交換してしまったが、西独は日本と同じく米国に忠実であった。そのために 1971 年のニクソン・ショックで犠牲を払ったのはこの両国であった。そして 70 年代、経常収支赤字と財政赤字を補う米国国債を買い支えたのもこの両国である。1973 年、79 年の二度のオイル・ショックも産業の総合力、つまりは国民全体の勤労で乗り切り、この時期には両国の経済の機関車論まで噴出していた。

　西独はＥＥＣ・ＥＣの時期を通して欧州主義を信奉しつつも度々北大西洋主義に言及していた。これはＥＥＣ内、特にフランスを牽制する意味もあったが、米国に対する配慮が根底にあった。1979 年までは米国が西側諸国に「悪の帝国」と呼びかけたソ連が地続きで背中合わせに存在したのである。大戦中ソ連は多数の戦没者を出しその殆ど全てはドイツが原因であったのだ。ソ連に対する恐怖は日本の比ではなかったであろう。

　1979 年末ソ連はアフガンに進駐した。米国の命令一下、西側諸国はモスクワ・オリンピックをボイコットした。しかし、オリンピック会場は有能

な西独の業者が殆ど全てを一挙に設営してしまったというエピソードがある。この時以降、西独はソ連の恐怖は米国がかもし出す幻と見切ったのではあるまいか。

　1975年にはフランスの提唱に相乗りしたランブイエでのG5で西独は大いに発言し、1981年には米国債の引き受け要請を拒絶。「ドイツは米国の51番目の州ではない」とシュミット首相は反駁した。そして80年代半ばに訪日したコール首相は「ドル紙幣という紙切れを集めて日本は何を喜んでいるのか」と揶揄したのだ。

　1990年の東西ドイツの統合に際しては、北大西洋主義を捨てて欧州主義を明確に標榜した。1998年のコソボ紛争での出兵、2000年の欧州連合軍創設へと着々と米国からの独立を果たして行く。この間、EU加盟国は米国に対して殆どの場合「イエス、だがしかし」という曖昧な態度に終始した。2002年の末、遂にドイツは謙譲の仮面を投げ捨て「ブッシュよ、汝の戦争を止めよ」と来訪中の米国大統領にドイツ議会で公言するのである。

欧州連合（地域経済統合）の発展

　ドイツがこのように国際政治上自立した強固な存在を示し得るまでには長年月の隠忍自重が必要であった。EECは何も当初から米ソ二大強国に対抗する目的でスタートしたわけではない。参加国が歩み寄って「紛争を決して戦争にはしない」という意思を持続させたのだ。3回の大戦争を国民の脳裏に刻み込んだ独仏の提携がそのコアとなってきた。「政治・軍事の仏、経済・金融の独」とはECからEUへと参加国を増やしながら地域経済統合を牽引していく両国の役割を象徴している。

　経済的に強国として成長してきた西独が農業問題・為替問題ほか多くの譲歩を参加国、中でもフランスに対して行ってきたのは役割分担から来るのである。「ドイツが経済統合の進展を主導するような姿勢・印象は決して示さない」というのがドイツの基本方針である。翻って「日本がアジアの指導者の役割を担おう」というのはいかがなものか。政府および国民の責任を自覚させ、鼓舞するための掛け声だとしても近隣諸国の受け取り方

はどんなものであろうか。

　80年代末ソ連は崩壊し、ドイツは民族的興奮のうちに統合・合体された。だが、巨大化したドイツが新通貨ユーロを創設する牽引力となったとの解説は逆である。ドイツ統一について、戦勝国4ヶ国のうち米国・ソ連・英国は了解させたが、難物はフランスであった。しかし、両国指導者ミッテランとコールは阿吽の呼吸で1990年に東西ドイツの統合を実現した。そして、コールは国民の3分の2が反対するユーロの創設のために強いマルクを捨てEUに同化したのである。統合後の12年間、東側の経済復興は思うようには進まず、全体の経済成長は鈍化し、EUの足を引っ張りかねない。しかし敗戦後から今日までの歴史を見ると彼らはこれからも困難を克服していくだろう。

　「対米追従は唯1の現実的な政策であり、他に選択肢はない」との論は極めて多く根強いものがある。だが、国際社会には大国、中堅国、途上国と影響力は異なっても複数の国家群があり、常に複数の選択肢が存在する。「他に選択肢がない」という論は「日本には外交がない」というのに等しい。ドイツに学ぶとすれば、ドイツにとってのEU、すなわち「アジア地域経済統合」を進め、この集団的合意にEUのコンセンサスを得て、自然に米国の単独行動主義に抑制が掛かるような努力を続けることである。「米国を捨ててアジアを取る」ということでは勿論ない。この超大国には距離を置いて協調し、現在の従属しているかのような姿から抜け出して真の独立を果たさなければならない。ドイツの辿った隠忍自重の歴史は我々に貴重な発想法を示してくれる。

3　アジア共通通貨の可能性と展望

アジア地域経済統合の必要とそれに至る道

　「アジアは合同しなければならない」。これは21世紀におけるアジアへの至上命令であろうか。

　60年代の小嶋清の「アジア・太平洋経済圏論」は新鮮であったが、当時は実現の可能性は低いとの印象が強かった。1972年、留学先のパリ大学院でベトナム人助教授から「日本ではアジアでの円圏の議論は始まっていないのか」と問われ、その年の夏には南仏のマントンで数カ国のヨーロッパ人と欧州通貨統合について議論したこともあった。

　年を追ってアジアにも経済的な統合は必要不可欠であるとの確信を持った。だが、アジアでの現実の動きはきわめて遅く、協力関係はともかく統合という発想そのものに対しても否定的であった。少なくとも1997年秋のアジアの通貨・経済危機以前は、世界銀行が刊行した「東アジアの奇跡」の論に同調して、アジア各国は雁行的経済発展を遂げてきたという実績への自画自賛的な評価が目立ち、何らかの制度的な協力関係を構築することには否定的・懐疑的であり、消極的であった。

　その間、ヨーロッパではEUが発展・深化し、90年代半ばからは拡大EUとして周辺国の加入を目論んできた。米国はこれに対抗してNAFTAをスタートし、南米ではMERCOSURが注目を浴びてきた。しかし、アジアではASEANの拡大とAFTAが見られたものの、実効性のある経済的な協力関係の成果は見られなかった。日本もAPECを国際的協議の制度的な機能を持つものと見なしてきたが、最近は失望感を味わっている。

　アジア地域の各国にとってはグローバルな制度としてWTOやIMFグループに各国が個別に従属していくのではなく、グローバリズムの中にリージョナリズムを先行させ並列させて発展を図ることが必要であり、それがいわば生き残りを賭ける唯一の方策である。「なぜか？」と問うまでもなく、それは金融と軍事力による米国の支配から独立を保つためであり、ドラリゼーションの圧力を受ける中でアジア各国が安定した発展を遂げるためである。

　国際間で共同体の形成を目指すには、まず経済的な具体策を実施していくことが必要である。各国が政治的な意思を先行させ、それを長期的・継続的に持続するのは言うまでもない。アジアが地域経済協力を行うために

現時点までに具体化しているのは「ＡＳＥＡＮ＋３」という枠組みである。経済的な共同体の結成は参加国がその利点を認識し、途中で生じる障害を克服するという確固たる意思を持つことが必要である。

　そして、地域経済協力へ向けての出発は貿易、次いで投資の自由化から行われる。日本は自由貿易協定（ＦＴＡ）を初めてシンガポールと2002年１月に締結した。遅きに過ぎたとしても第一歩に着手したのである。この輪を拡大して可能なものから実現する。対象の選択もスケジュールも全て現実的に対応することである。

拡大ＥＵの教訓

　アジアは何もヨーロッパを真似る必要はない。しかし、彼らの50年間に及ぶ統合への道のり、特に2005年に予定している周辺国加盟からいくつかの発想や教訓を学び取ることはできるのではないか。

　ヨーロッパ各国には文化的共通性があるが、アジアでは各国が多様な文化を持つため統合が難しいとの意見がある。しかし、これは日本がこれまで必要な協力関係を推進しなかったことに対する弁解に聞こえる。もちろん文化的相違はアジア各国の間にはあるが、それはヨーロッパも同じである。アジア各国では近代国家としての諸要素、すなわちまず経済規模・水準と政治・社会的諸制度の違いが共同歩調を取るのを難しくした。

　加えて、ヨーロッパのように東西の狭間にあって「二度と戦争を起こすまい」という意思や自らのアイデンティティを確立しようという意識はアジアにはなかった。何より国際的な状況としては、日本を筆頭としてアジア各国が安全保障も経済もアメリカに個別に依存してきたという構図があった。ＥＵの進展、中でも共通通貨ユーロの創出と流通はそれまでアジア地域の経済統合に懐疑的・否定的であった日本のエコノミストにも政府にも強い刺戟を与えた。

　共通通貨の創設は関係当事国が強い目的意識を共有し、相互間の障壁を克服していけば、この夢かとも思える目標に到達できるのであろう。それ以前に拡大ＥＵを志向する発想に、アジアの地域統合の可能性に対する大

きな示唆があると思われる。それはＥＵのメンバーである西欧諸国と新規
加盟予定諸国の相違、なかんずく経済規模・水準の格差にも拘わらず、候
補国が積極的に参加する姿勢である。地域経済統合による経済的メリット・
デメリットはそれ自体が重要な研究課題である。経済的・産業的格差は相
互調整によって妥協する場合に損得勘定として現れる要素であるだけに、
協調を困難にさせるものである。拡大ＥＵを推進する中には、この現実的
制約を知悉しながらも大きな格差がある両者が歩み寄っている実例が見ら
れる。

　地域統合の研究の中にはＮＡＦＴＡとＥＵを同列に置いてその功罪を論
じたり、アメリカの南北アメリカ大陸経済統合の呼びかけを拡大ＥＵと同
一視するものもある。また、日本にとってはＡＰＥＣがヨーロッパおよび
北米の経済ブロックに対抗するリージョナリズムであるとするものもあ
る。しかし、これらの論が根本的な誤謬であることは自明であり、それぞ
れの参加国の利害とその将来像は異なっている。いわゆるドラリゼーショ
ンとは参加国相互間で国家としての障壁を段階的に取り払って、まず貿易・
投資を自由化し、続いて知的所有権などソフトの要素も自由化を進めるの
だが、あくまで米ドルを通貨として用いる地域経済統合であり、ドルの発
行権は米国だけが持っている。それに対してＥＵはそれまでいかにドイツ
マルクが強くても、ユーロは参加国が共同で創設した通貨であり、発行権
も各国が権利を分掌している。

アジア共通通貨の可能性と展望

　最近ではアジア共通通貨を論じたものは多数出版され、新聞紙上でも論
じられている。国際金融市場での円の強さを反映して、ドル・ユーロ・円
の三極基軸通貨を想定して円の国際化を進めるべきであるとの意見もあっ
た。かつてはユーロの創出そのものに対しても「最適通貨圏」で理論武装
してアメリカのエコノミストがその可能性を否定した。事実ユーロへの道
は失敗と苦難の連続であり、ＥＥＣが出発した 1952 年からユーロの実現
まで 50 年の歳月を経ている。

経済統合と呼ぶが、通常その深化の段階により①自由貿易地域②関税同盟③共同市場④金融統合⑤完全な経済統合のように分類される。ＥＵは①から④にまで到達した。アジアが同じ過程を経る必要性はないし、同じ年月を要すると断定することもない。ただ、アジア通貨単位（ＡＣＵ）を将来の目線に入れてアジア諸国間で経済的協力を推進することは絶対に必要である。そして、共通通貨の創出は遠い将来には可能であると信じたい。想定される困難は数知れないが、同時に途中で顕在化するメリットもあるだろう。ここでは基本的方針と留意点に簡単に触れておこう。

　加盟候補国としての参加国は少数でも良い。相互に自由化を目指し、それが可能な国々でフレームを作る。現在あるＡＳＥＡＮ＋３の枠組みを基礎にして可能な制度を作り上げる。アジアのＮＩＥＳ四ヶ国のうち韓国とシンガポールはこのフレームに入っているし、香港は二重人格的である。台湾は政治的解決と平行して参加国になるように図っていく。

　次に経済統合の単位としては、過去にも「北東アジア地域」、「環日本海諸国」、そして「アジア太平洋経済圏（ＡＰＥＣ）」などの呼称で域内の協力体制を模索してきた。中でもＡＰＥＣは日本ではＷＴＯと並ぶ国際協調の有力なツールだとみられてきた。しかし、ＡＰＥＣは参加国が多すぎて、通貨を含めて共通の何かを生み出す素地がない。何よりもアメリカの利害と参加弱小国の利害は相反するという国際的フェスティバルのようなものにしか機能し得ない。

　更に、対象と時間について考えてみる。統合の対象は貿易と投資の自由化が先行するが、他にも為替相場の安定化、アジア側の債券市場の育成（2003年8月、日本はアジア側の債権に保証を与える制度を作った）など数多い。まず為替相場の安定化にはドル、ユーロ、円をベースとし、プラスアジアの1通貨を加えたバスケットに各国の通貨を連動させるのが有効であろう。地域経済協力を進めていく原則として、全ての分門において実現可能な課題は適宜取り上げ（Differentiated）、その時間も緩急自在（Multi-speed approach）に行うことが必要である。

　他方、参加する各国、なかんずく日本が克服すべき大きな障害は、アメ

リカから独立しドルの圧力に各国の協調を阻害されないことである。また、アジア経済の各種の安定策にヨーロッパ（EU）の合意を得る努力をすることであろう。なぜならば、国際政治力学の視点からは、アジア＋EU対アメリカでかろうじて国際社会が必要とする均衡が得られるからである。

4　ギリシャ危機以降のユーロ圏

はじめに

　ギリシャ政府の巨大債務に起因する財政問題と経済の混乱は 2010 年春に顕在化してユーロ圏と国際金融社会に衝撃を投げかけた。日本にはこれは誇大に報道されマスメディアの一部にはユーロ圏の崩壊などドラスチックに評された。この危機と連動して生じたスペイン、ポルトガルさらにアイルランドへとユーロ圏へ与えた影響と危機に対してEUはどのように対峙したか、またこれにより示されて来たEUの本質的な問題を欧州側の限られた情報と資料により考察した結果を取り敢えず纏めてみよう。なお本論文はこのシリーズとしては第 1 号に当たるが発表の機会を逃したので大幅に遅れた。殆ど同じ時期に出された論文の第 2 号では危機のうちのユーロ圏として、何故危機に陥ったのかから説き起こして個別のアイテムをやや詳述して論文にしたものを発表することにする。いずれも 2011 年の 1 月に記したものである。

　日本では、昨年、一昨年とおそらくは出版社の提案による表現であろうか「EUの衝撃」「EUの迷走」と言うような過激な表題でEU諸国の混乱を紹介したものが氾濫している観がある。[1]自分はこの問題に関する我が国での評論にはまだ充分接してないのでこれらの問題に関してフランスの経

---

(1) 白井さゆりは 2009 年に欧州迷走、2010 年に欧州激震と知的生産性の高い出版を行っているが、これを「IMFの資料だけに依存している」と評した田中素香は『ユーロ危機の中の統一通貨』をその数日後には刊行していた。小論文もこの著書の影響に負うところ大である。

済専門誌と自分が欧州にその頃過ごしていたという現場の臨場感覚に依って知り得たところだけを纏めるに留めたい。

1　ギリシャ危機の発生

　周知のようにＥＵ参加国がユーロ参加国となるためには一定の資格を要求される。このうち主要な三条件として物価の安定、と並んで公的債務の対ＧＤＰ比３％以下、累積債務の対ＧＤＰ比６０％以下という縛りがある。このターゲットは必ずしも経済的にみて合理的な数値ではないが[2]、一定の目標値としては参加国に自粛を促し健全な財政を運用していくには関係者のコンセンサスを得た有用な数値であった。

　財政上の赤字が加入の制約となっていた当時のイタリアはこの縛りを外圧として利用し緊縮財政を実施してかろうじて資格を認められたとか、資格不足で加盟を一時延期されたギリシャは後にかなり粉飾して有資格となり参加したと噂されるなどの経緯がある。ギリシャは加入の出発点からかなり曖昧な政策と粉飾のある公式報告であったことは確からしいが今回の大問題は別の次元で論じられるべき性格のものである。

　つまり国単位で賭博的な金融の利得を追ったという事実と、またしてもここには二つの米国大金融機関が関与しており、欧州では庶民でもギリシャ政府と米銀への不信と侮蔑を隠そうともしない。問題の詳細や対応策としてＩＭＦの勧めるように国民に対して緊縮財政により社会福祉の手当ての減額などを発表して大混乱を生じたなどは詳述をさける。

　ここでは問題発生が示したＥＵへの影響、ＥＵ側の対応策についてだけ触れてみる。

2　ギリシャ危機に対する支援の姿勢

　一国が起こした財政赤字と金融危機とすればこのギリシャ危機は相当に

（2）拙著『オルタナティブ国際経済政治学』（彩流社、2010 年）267 頁に引用してある通り、2001 年 6 月 science politique 教授、jacques le cacheux、の講義による。

大きな規模のものであり、対応をめぐってＥＵ内部にも足並みの乱れが生じたのも不可避的な成り行きである。問題の焦点はユーロ圏の安定を図るために参加国がギリシャをどこまで支援するか、支援に依って、ギリシャは回復して安定を取り戻すかという点であるが、より大きな視点でＥＵの統治力、ユーロの存在性を問われて来たことも事実である。支援に関しては、ドイツは当初から渋い態度を取り続けた。その筈である。というのは支援となれば最大の負担を負わされるのはドイツであろうことは自明であり、メルケル首相はしきりにＩＭＦが支援の実施者になるべきであるという提言を繰り返してきた。「我々（ドイツ）は巨大な金をＩＭＦに拠出して来ている。この際ＩＭＦがギリシャを救うべきだ」。と公然と表明した。そのドイツの姿勢は認めるとしてもＥＵメンバー国を救済するのはＥＵの義務であり、全体の安定のためにも必須の策であることを加盟国は充分に心得ている。

　そしてヨーロッパ版ＩＭＦの創設にも当初尚早を唱えたドイツの政府首脳もごく最近、この案に同意を表明した。更に、2010年2月23日のロイターの速報ではドイツ政府は、財政が悪化したユーロ圏加盟国を支援するため、新たに「欧州安定成長投資基金」を創設することを提案する。その前提としてユーロ圏の安定はドイツの国益にも沿っていると表明している。

3　危機に陥った根本問題と対応策

　2009年以降に顕在化した世界危機の後2010年にヨーロッパを襲った危機の要因を突き詰めて分析すればユーロ圏の組織の性格そのものにあるといえよう。即ち通貨連合には予算の連邦制が存在しないこと、及び政府間の協調が弱体なことであり、次のような三つの問題が根本にあることが理解される。

　先ず、特定域内国のマクロ経済的不均衡に他の域内諸国が楽観的であること、次に、予算の持続性を促進すべき安定・成長協定（ＰＳＣ）が失敗したこと、及び欧州連合条約には国家信用破綻（ソブリン・デフォルト）に関する措置が欠如していること。

これらの問題はこの危機によって初めて知らされたのではなく、従来から理論的にはしばしば論じられ、政治的にも議論の対象になってきたものであるが、現実的な制約から対応する政策や制度の構築が実施されなかったものである。ユーロの扱いの中にソブリン・デフォルトの処理を規定した条項は全く存在せず、経済安定協定（ＰＳＣ）の適用から不当にも除外されてしまった。

　このように準備の整わない間に、ギリシャ危機が域内諸国に襲い掛かり、国家信用リスクの悪化は６ヶ国の国債に著しい利回り格差（スプレッド）をもたらした。

　対策として今般、欧州金融安定基金が設立された。この基金は財政困難な国へ調整条件と引き換えに３年の期限で融資することを目的にした機構である。

　2010年５月10日欧州中央銀行（ＢＣＥ）も介入し、危機にある加盟国の国債を強力に買い付けることになった。これで充分な救済措置といえないであろうが、一応の対策はこの時点ではユーロ圏の参加国としては行ったと言える。

　ＥＵはＩＭＦのコンディシオナリティの強制には当初は反対したが事実としてはＩＭＦに協力姿勢で救済に着手、2010年５月３日と９日のＥＵとＩＭＦの計画は固定金利による貸付の提供を規定している。その考えは、いずれは当該国が健全な公的財政になり、国債市場から手ごろな金利の資金を集めることが出来るということにある。しかしながら、歴史的な経験によれば、大規模な予算調整には長い年月がかかり、しかも一般に為替相場の調整を伴うものである。それを前提にすると近い将来に向け、三つの要素を持つ政策が実施されねばならない。

　先ず、近年中に国債のリストラを余儀なくされる国があっても、ソブリン債市場の保持に成功することである。同時に、経済回復を損なうことなく予算調整政策をとりまとめなければならない。３番目はユーロ圏の経済ガバナンスの枠組みを再定義することである。⁽³⁾

4　ＥＵ及び各国が推進した対応策

(1)　ソブリン債市場の安定保持

　この目的こそ他国の協力を要するものであり、ＢＣＥは状況の緊急性から５月 10 日最終段階での購入者になる申し出を行い４週間で危機三国の国債を 400 億ユーロ買い付けた。各国政府よりも行動が早いことが示された。

(2)　予算調整政策

　ＩＭＦの経験では調整は予算のカットと金利を下げること、または通貨の価値を下げることで維持されていたがユーロ圏内の各国は平価の切り下げが出来ないことまた金利は既に極めて低いことから事情は異なっている。

　しかし連合内部でのある国の競争力を高めるには、名目賃金と非交換財の価格の引き下げを行えば競争力を回復するだろう。

　ロイターの速報が入ってきた。2010 年 12 月 23 日ギリシャの議会は 2011 年の予算案を可決した。成長率の見通しは 2010 年マイナス 4.2％、2011 年はマイナス 3％であり、財政赤字の対ＧＤＰ比は 2010 年見通し 9.4％のものを 2011 年は 7.4％に下げるべく、ＥＵとＩＭＦとの約束から増税や歳出減、公企業での給与カットが入っており国民は再三ストライキを打って反発しているが方策が出てこないであろう。⁽⁴⁾

(3)　経済ガバナンスの再検討

　これは当初からある議論であるが今回のユーロの危機に際して再度、ＥＵの統治力の権限の付与と方法論が再燃した。つまりどこまで超国家的機

---

(３) 前掲書、265 頁　2　ユーロへの評価の項に記述したとおり、金融は共同にしながら財政は手付かずで各国の協力による協定に従い自粛する形を取った。

(４) ギリシャの国民の不満は当然のことであるが、現時点で国の不始末を拭う負担を国民にかぶせるしか方法はないと国民もあきらの姿が見られる。
　なおギリシャの経済・社会構造には日本のマスメディアなどは全く言及しない富の偏在という深い構造的な病根があり、現在それを改革して国家の財政危機の救助策にすることは出来ないであろう。

能をＥＵに与えるか金融と並列して財政の歩みよりをどこまで許容するかの問題であり次の節に改めて考察する。

5　ユーロの運営とガバナンスのあり方

(1)　財政のガバナンス

　ユーロの開始時から連邦予算もなく労働市場のさらなる弾力性もなく、ＥＵ加盟国間の価格不統一の下に単一通貨を運営することの難しいことは判っていた[(5)]。フランスのルモンド紙にも「危機はユーロ圏内の不統一を顕在化させた[(6)]」との論文によりマンデルの定義するところの最適な共通通貨圏の資格をユーロ圏は有してないのではないかという疑問が提示されている。

　そして経常収支の推移を縦軸に消費財物価の年平均を横軸にとりプロットすると明瞭な実績値の傾向が示され、北の国、ルクセンブルグ、ベルギー、オランダ、オーストリア、ドイツ、フィンランドは一グループをなし、ギリシャ、スペイン、アイルランド、サイプラス、ポルトガル、イタリア、マルタ」とフランスは別のグループを成す。つまり二つのユーロ圏があるのではないかという疑問になる。

　事実エコノミストの Christian Saint-Étienne はこのような二極に分けた新規のユーロ圏の創設の提案を行っている。但しこれは 2002 年から 2008 年の間の実績であり順序について前者は経済運営の良い成績順で後者は成績不良の順である。

　しかし経済的な成長の好成績は今後も改変していく可能性があり現時点でこの区分けでユーロ圏を分断するような挙にでるとは思えない。むしろ

（5）参考文献2　ガバナンスの統合の項に力説しているとおりＥＵの加盟国は当初からその困難は理解していたが、実際には財政はＥＵの単一の責任機関には委ねることは出来なかった。また議題になっても議論は時期尚早として先送りした。

（6）参考文献1の表題のとおり、矛盾が生じたのではなく不統一性（encohérence）は内在していたものが、この各国家の信用失墜の危機に顕在化したのだという説明のほうが事実に忠実である。

現在までの実績で参加国が安定路線の一応の成果を得たことを評価すべきであろう。[7]

(2) 財政の統合

　これは最も厄介な問題と認識されている。つまり元来、誰がどこに対して税を支払うのかという課題は一国内でも公平な対策が取れない性格を有しているものなのでEUに中央政府が連邦を統合する形態が出来るまで税を直接課税することは出来ないのではないか。各国が分担金を支払いそれでEUを運営し、直接課税に代わるものとして各国の協定を以て対応してきたのが現在までの現実である。また現状維持として中期的に見てもこれが無難な方向ではないかと思われる。勿論、現在真剣に政治、制度改革に取り組もうとしておりその成果を過小評価する積もりはないが、財政に関しては直接課税を早期に行えるとは思えない。

(3) 金融の運営上のガバナンス

　続けて金融の運営に関する方法について若干の考察を行う。

　財政予算の統合の代替索として協定を用いたが経済基本方針（GOPE）を導入して市場の弾力性を目ざした。しかしこれも安定・成長戦略（PSC）と並んで各々限界があったので、対応策として次のような方法が議論されている。

a 罰則の厳格化

　罰則の目標を罰金の支払いでなくてEUの支援措置を中断する形にする。

b 奨励策

　奨励策として各国で予算調整計画を実施する国には共通農業政策（PAC）や構造改革基金の援助金を早く提供されるように計る。

c 監視措置

　監視そのものについては対象を公共の財政だけに絞るのではなく民間部

（7）　文献3　田中素香は拡大EUの成果もユーロ発行から今日危機に直面するまでの
　　　　機関の発展過程において参加国の成長と安定を齎せた効果を評価している。

門にもこれが及ぶことが必要である。現在監視の範囲をユーロ圏の競争力に関し、民間部門の負債、資産価格の表面価格その他にまで対象を広くとることにつき各国と各関係機関のコンセンサスをとることが試みられている。

6　展望｜結びに代えて

　以上は全く僅少の考察を述べたに過ぎないがその範囲内で将来展望を試みておこう。ギリシャ危機はＥＵの統合力に改めて疑問を呈されるほど大きな問題として取り上げられた。事実、これに端を発してスペイン、ポルトガルにさらには経済成長良好と10数年来見なされたアイルランドも財政危機に陥り経済成長にマイナスが生じている。そのためドラスチックにＥＵの衝撃、迷走、更には崩壊とするような論が日本には紹介されている。しかし今日までのＥＵの進展の過程とドイツを一つのモデルと見做してその底力を考慮すると簡単にＥＵの解散などの挙に出るとは思えない。2010年１月に東京で行われた世界金融危機のセミナーでの質問に「ＥＵが解散するとかユーロを廃止するとか」はありえないと確信的に国際金融専門家の榊原氏は答えたが筆者にもわが意を得たりの感があった。危機に瀕した国には圏内の国からだけではなく、例えば中国がポルトガルへの支援を表明するとか圏外の他の国からの協力の姿勢もあり、米国の危機に対するものとは極めて異なっている。ただ欧州の危機の場合も米国との関係、交渉が如何なる形で進展するのか、ＩＭＦの役割はどこまで求められるのか、等は重要な問題であり、ギリシャもＥＵ全ても米国の姿勢に重要な注意を払っている。

　勿論モラルハザードは最重要な要素であり、危機から抜け出すために協力が必要なのであって援助依頼心とその姿勢が続くのは厳に戒めなければならない。

　そのためにはパートナーとしてＥＵ圏内の各国が付いており、危機に見舞われたギリシャを初め経済脆弱国は一層の緊縮と成長への努力を要するだろう。

主な参考文献

1　problèmes économiques 1 septembre 2010 bimensuel no3001 L'Euro après la críse grecque（ギ
　　リシャ危機のあとの欧州）の内 la crise révéle l'incohérence de la zone euro（危機はユー
　　ロ圏の不統一性を顕在化させた）

2　problèmes économiques 29 septembre 2010 bimensuel no 3003 La réindustrialisation en
　　marche（進行中の再工業化）の内 la zone euro en crise（危機にあるユーロ圏）

3　田中素香『ユーロ　危機の中の統一通貨』岩波新書、2012 年 11 月 19 日

4　今井正幸、森彰夫『オルタナティブ国際政治経済学』彩流社、2010 年 3 月 10 日

5　危機の中の EU

ギリシャ危機の推移

　危機が顕在化してから以降の欧州内部での意見は決して楽観論とか自己
弁護論に終始している訳ではない。評論者もマスメディアも庶民大衆も今
回の状況を一様にEUの危機として認識していた。主に仏語資料に基づい
てフランスの論調を概観してみよう。

1　当事国ギリシャの責任、とるべき方向

　危機の当事者としてのギリシャへのEUメンバーからの批判は勿論厳し
いものがある。ここでも当初は米国の多国籍大銀行が関与していたことが
取りざたされた。つまり 2009 年のはじめの世評では、ギリシャ政府への
不信と米国金融機関 2 行の行動が庶民の間で罵倒されていた。米銀はギリ
シャ政府に虚偽の申告を、つまり「とばし」を行う知恵を与えただけなの
か、それとも財政赤字を補うべく何かの利益追求手段を与えるという行動
をとっていたのか、この一時期の非難の後はその責任を議論する声は全く
消えてしまった。ギリシャの左翼系の現政府は当初は外部からの援助を受
け入れることに抵抗を示したが、他の対応策も見つけられないのでＩＭＦ、
ＥＣＢからの援助資金の導入を受け入れた。しかしＩＭＦから厳しいコン
ディシオナイティを突き付けられ、これを自国政府が受け入れることに対

して大きな国民の反対運動を引き起こし激しいデモが連日のように報道された。もっとも最近の対応では、ＥＵの定めた財政規律は遵守する、しかしドイツが提案したギリシャの財政運営そのものをＥＵが監視、監督するという案は国家主権を侵害するものとして拒絶した。あくまで主権は守りながら、国家経済、財政の復活を図る姿勢を貫いている。

　先に記述した論文に危機の発生の理由とともにＥＵはその対策としては三つの課題を処理していかねばならないことに触れた。ここでそれをくりかえしておくと、先ず近年中に国債のリストラを余儀なくされる国があっても、ソブリン債市場の保持に成功することである。同時に経済回復を損なうことなく予算調整政策をとりまとめなければならない。3番目はユーロ圏の経済ガバナンスの枠組みを再定義し強固な枠組みを構築することである。

2　ソブリン債市場の保持

　ギリシャ、アイルランド、イタリア、ポルトガル、スペインの国債は大半が非居住者、特にユーロ圏諸国の金融機関により所有されているから、ギリシャのデフォルト又はリストラそのものは、直ちに消化できる範囲だが（独仏銀行の当初の損失40億ユーロは管理可能の範囲）、それが多くの国に伝播すれば第2の銀行危機を惹き起こすことになるだろう。国際決済銀行（ＢＲＩ）によれば、ギリシャ、アイルランド、ポルトガル、スペインに対する独仏銀行全体の受ける影響は（直接所有および子会社による間接所有を含め）ＧＤＰの約15％であると報告した。事実、はるか後、2011年11月、仏大使館公使の講演時に示された、仏三大銀行の財務諸表は健全な形を示していた。しかし、これら諸国の国債の価額の下落が限定的なものであったとしても、ユーロ圏の銀行システムを危機に曝すであろうというリスクはある。最悪のシナリオなら、銀行の資本再構成に必要な金額が、独仏の信用を低下させることになるであろうと懸念されていた。その打開策には、二つのことが可能であると対策が練られた。第1のオプションは、比較的国の規模が小さいが、発生する打撃が大きい国のソブリン・

デフォルトは先んじて整理して、規模が大きい国への伝播を避けることである。その方法は、危機にある国の国債を、資本の損失を含ませるため大幅に価額低下をさせても、基本的には他の債権と交換することができるような基金を設定することであろう。この計画の問題は資金調達であろう。予算計画に熱心でない国の税金に財源を依存するからには、短期的には財源が不十分になるだろう。

　第2のオプションは、ある国の危機が耐え難い状態になる前に、再度の資金調達の要件を満たすために国が行動を起こすことであった。これは2010年5月9日にＥＣＢ理事会が選択したもので、危機にある国が自分で資金を再調達するのを支援するために、共通債権基金を設立することを提案したが、出資金を出す国が同意するのに1月もかかったことで、開始が遅れてしまった。状況の緊急性からＥＣＢは、2010年5月10日、最終段階での購入者になることを申し出た。この介入には主に二つの理由があった。先ず所定の国際市場の凍結を解除し、そこで取引される債権が外国為替銀行により高値の価格取引されるようにしなければならなかった。更に、ＥＣＢは金融安定についてその責任を受け入れる意思を示した。懸念されるのはＥＣＢ決算の悪化である。関わった金額を考えると、リスクは資本の損失よりも、むしろモラルの分野に生じた。即ち欧州の銀行が望んでいるのは、国家の債務のリスクを代償無しでＥＣの中央銀行に移転することである。実際、ＥＣＢは市場の運営者であるから後で、部分的なデフォルトの整理に関与することが出来るのである。そうすれば被る損失も、債権の購入価格に関連して取引される下落値に従うことになる。ＥＣＢの介入が限定的であるなら、それが長期的な影響を及ぼすことはないだろう。また独立の機関としてＥＣＢは国家よりも素早く行動できた。そしてユーロ圏の加盟国の共同出資による債務救済制度は作られたのであるが、それだけで市場の不安は決してすべて消えたわけではなかった。一度打撃を受けた信用不安は幾重にも信用回復のための制度と実績が必要なのである。しかしこれらの措置を次々と実施しているＥＣＢが不作為であるとのそしりは的外れであることが示されている。

3 経済回復を停止させないような予算調整開始

　2010年5月に表明された2010年度の予算制限を各国が行い、2011年度の予算案は追加金額としてGDPの凡そ1%に達するとされた。IMFの記録では過去において成功した予算調整は、平均して7年間継続して予算カット（特に公務員給与の全体と社会的経費）に大きく支えられ、金利を下降させるとかあるいは通貨の価値を下げることによって実績が維持されてきた。ユーロ圏内の諸国が同じ圏内の主な通称パートナー国に対して平価の切り下げが出来ないこと、及び金利が既に特別低いことから、上記の例は適応できなかった。それ故、予算調整を行うと大幅な経済の縮小を惹き起こす危険があった。これを避けるには、ユーロ圏は圏内で強力な調整を必要とする国家間の関連する価格を早急に引き下げ、域内のその他の国の債権に有利な政策を維持しなければならなかった。

　ユーロ通貨連合加盟国の企業の国際競争力を回復するには、連合内部での平価引下げを同時に行うことによって可能である。名目賃金と非交換財の価格の引下げは、全ての価格の低下をもたらし、競争力を回復するだろう。しかしながら、連合内部での平価引下げを行うには、国際契約の価格を含め、全ての契約価格を同じ比率で同時に引下げを実施できねばならない。価格競争力を高めると共に、ユーロ圏内の他の国のインフレにより、そのコストは一層減少されることになろう。上記後半の事項は価格競争力を輸出戦略にキー要素として重視している強固な核の国を同意させることは出来ないであろう。

　周辺諸国における予算調整のコストは、持続的な拡大通貨政策と調整が緊急でない国の限定的な予算引締めにより減らすことができる。通貨強化のスケジュールはインフレの展開如何に依存している。インフレそれ自体は生産のギャップに依存しているから、通貨の引締めが時期尚早であっても大きなリスクにはならない（BCEがその金利を引き上げるべきだとしても、急速な回復への反動となるだろう。予算面からすれば、物事は特に国家予算規則が導入されることから異なるものになる。即ち、ユーロ圏の

強固な核の国は、自己に固有の調整スケジュールを決定する時、周辺諸国の状況を多分考えに入れることはないであろう。しかしながら、協調形式は収入と支出の構成及び需要に有利な構造改革の周辺で行われるだろう。収入の面からは、(付加価値税（ＴＶＡ）の引き上げを優先するよりもむしろ) 様々な課税基準を対象に努力を配分することが、国内需要を刺戟するだろう。支出の面からは、インフラと教育への公共投資を維持することで、力強い潜在的な成長への道筋を取り戻すことになるであろう。

4　ガバナンスどこまで統一できるか？

　ＥＵ域内で共通通貨ユーロを創設する前から、ＥＵ連邦予算もなく労働市場のさらなる弾力性も無しに、ＥＵ加盟国間に価格不一致が存在する状況下で共通通貨を運営することが難しいのは分かっていた。従い、予算統合の代替索として協定が考えられたが、その一方でリスボン戦略と経済政策基本方針（ＧＯＰＥ）が導入され、競争力獲得に有利な市場の弾力性を目指すことになった。これらの措置は殆ど効果をしめしていない。現在まで、ＰＳＣ（安定・成長協定）の適用は罰則だけを対象にしており、リスボン戦略とＧＯＰＥは為替平価の圧力で支えられてきた。この二つの対策にはそれぞれ限界があるので、組合わせの可能な下記の二つのオプションが考えられる。

・罰則の厳格化

　加盟国の投票権剥奪までは行かない場合、追い詰められた国に罰金の支払いを求める、そして支援計画により結局違約金（追徴金）を求める。

5　ユーロ圏の危機からの脱出と我々へのレッスン

　危機を喧伝されてから以降、脱出の気配を示されないまま日時が経過している。我が国には各種のメディアを通してしか事情は掴めないが、おおよその事態の大枠と問題の要点を示してこの小文の結語としよう。ユーロ圏、つまりはユーロの困難を救う方法としては大きく見て次の３点が提示され議論されている。

（1）ユーロ債を発行してギリシャ債および危ない国債とみなされてといる
ポルトガルやスペイン、イタリアの国債までもそれらを購入するか連帯保
証をする。これにより脆弱な国の国債の信用力が回復して危機を免れる。

（2）ＥＵとＩＭＦが共同で危機にある国に必要な額の信用供与を行い市場
の信用を回復し合わせてユーロ圏内におけるユーロ監督の制度と権能を明
確、安全なものにする。

（3）この危機に際して財政の統一を行い域内共同の財政政策、財政行為を
行う。これが行われなければユーロシステムはメルトダウンする。

　またはユーロ圏からの退場の規定を確立し不要なメンバーは退場するか
またはさせる。

　（2）については既に十分ではないが継続して実施されている。2010 年
の末にはＩＭＦとＥＵが共同して第 3 回目 90 億ユーロ、2011 年 3 月には
150 億ユーロの融資を実施するとしながらも追加緊縮財政を取ることを条
件とするなどギリシャには重荷になる状況は続いていた。

　ＩＭＦの信用供与は限られており加えて常に問題視されるコンディショ
ナリティーが国民の猛烈な抵抗に合い、ギリシャ政府の受け入れにブレー
キがかかるなど円滑ではない。今後もＩＭＦが本格的に救援策を実施する
か否かは米国の意思に掛かっているのであるが、米国は現在でもネガティ
ブな姿勢である。これは理由づけはできるが極めて好ましくない状態であ
る。

　（1）のユーロ債の発行はドイツの強硬な反対によって実現しそうにもな
い。思えば当初から共通通貨に付随して共通債権保持の制度を定めておく
べきであつたろう。しかし参加国は財政の規律を正す、それを監督すると
いう形態で対応してきたのであるから直ちにこれを強制するわけにはゆか
ないであろう。共通債権を発行すればドイツが最大の債務の担い手となる
可能性が高いため賛成できないのだ。

　なお（1）、（2）を実行しても今後も継続してソブリンリスクが無くなっ
たという保証にはならない。当面のリスクを解消できるという意味であり、
将来にわたって何らかの財務的保証をする制度の確立が必要であるという

認識は共通している。

　そして最近時の状況では 2012 年 1 月末ユーロ加盟国は新たな財政規律を厳しく強固なものにする協定を結ぶ合意を行っている。

　(3) の財政の統一を要するとする論調は極めて強大であるので、ことの是非を再度考察してみる。

　一国としての金融財政制度を確立する必要があるならば、勿論、財政を統一することが是非とも必要であろう。ただユーロのスタートから現在まで「財政について何もしなかった」という評価は当を得ていない。常に共同連携をして均衡をとることを試みてきた、しかし現段階まででそれは実現できなかった。考えてみても、財政は直接国民から租税を取り歳出では各種の社会保険に支出するのである。それらを一挙に一律にせよというのは無理である。また財政統一が出来ないとメルトダウンするとなす説は今日までユーロが域内、域外で有効に機能してきたことの説明がつかない。

EU：25 ヶ国が財政規律条約の制定で合意

　1 月 30 日、欧州連合（EU）首脳会議は、英国、チェコを除く加盟 25 ヶ国が財政規律強化のための新条約を制定することで合意。チェコは憲法上の問題により不参加。新条約は、原則として財政均衡を義務づける。3 月の次回首脳会議で署名の見通し。ユーロ圏 12 ヶ国が批准した時点で発効とし、2013 年 1 月の導入を目指す。

6　オルタナティブ　ユーロの危機への対応

はじめに

　ユーロの危機は危機を伝えられてからすでに数年を経ている。その間、楽観論、悲観論、懐疑派、肯定派、危機への対応に関する諸説は入り乱れて定説は今まででは見いだせない。我が国でも主として外国からの説を紹介する形で多くの議論が行われ、また文献も相当数に及んでいる。時間の

経過とともに解釈や将来展望も変化するのは止むを得ないとしてもあまりにドラスチックな意見をもってマスメディアに迎合する印象のある論議には疑問を禁じ得ない。この小論文では文献解説に陥ることなくまた既存の論文との重複を極力避けて考察を行いたい。

　前提として重要なことはユーロという統一通貨とその危機は前例とする経験や確実なセオリーがないということ即ち手さぐりで政策を合議で採択していく事しか方法がないという事実である。また事実関係を追跡してみると忠実に判断できることは一国または特定国だけの意思でＥＵ加盟国の意思決定にはならないという組織運営を行ってきているという事実である。勿論、利害関係のある問題であり、債務過剰の国は不可避的に債権国の意思を尊重せざるを得ない状況に陥ることはしばしば生じることは事実であるが、かといって債権国ドイツがＥＵを単独で支配するという一部の意見は納得できるものではない。あくまで加盟国の合意の上で全ては運営される。それが、21世紀の大実験とされる欧州共同体の基本でありそれを崩せばＥＵそのものの存在理由がなくなるであろう。以下に基本的な事項に関する新たな考察を試み簡単に自分の考えを総括することを試みる。

1　ユーロは存続するか

（1）通貨統合の本質

　ユーロはＥＵの発足時から長い年月かけて創生した国家主権を超えた各国の通貨発行権を加盟国の合意のもとに運営すると定めた、いわば人為的な金融運営体制である。その本質として特筆すべきは特に米国連邦と対比してみると次のような点であろうか。

①単一通貨

　当初から単一通貨を採用し新規の加盟国はその通貨を使用するグループとなった。（米）、歴史的に各国は近代国家として各自の通貨を使用していたものを単一なものにする試みは幾つかあったが、全て短期間に消滅している。ほとんど全ての当事国間の戦争とか政治的なトラブルが原因であっ

64

た。ヨーロッパは長年月をかけ、大きな目的を持って単一通貨を創設した。
（EU）。②米国が単一の連邦国家となる課程では各ステーツの上部に連邦
政府を設立し、金融ほか軍事、外交など幾つかの権限を委託している。こ
の連邦中央政府に新たなステーツは加入する形を取りながら連邦国家が形
成された。（米）

　EUは念願の目標として金融を統一し、中央銀行（ECB）に運営を委
ねたが意思決定には各国の主権者の合議がしばしば用いられる。そしてよ
り重要な実態としては国家行政の要素で主要な財務の国家主権は手つかず
で各国に残されておりこの視点から見ると連邦としての機能は未だない
（EU）③各ステーツ（国）は広汎な自治権を有したが、連邦として軍事、
外交をはじめ連邦財政と金融は連邦政府に委ね、国際的には国際通貨とし
ての地位を占めて来た（米）。他方、EUは政治的統合を目標に掲げて来
たものの未だ未着手である。従い財政をはじめ多くの政治的制度、決定は
多数の加盟国の合議によって運営されてきた。また通貨ユーロの性格は地
域間の単一通貨であり国際通貨とまでには成熟していない（EU）。

　以上のような基本的な相違があり米ドルと対比にしてその特質の優劣を
論じるのは無理である。あくまでその特質を比較することによって違いを
明示することやそれに伴い対応の差を考えることが出来るにとどまる。

　以上に略記したような本質的な差異から現在における矛盾や危機を招来
したユーロの国際市場での存在・機能のあり方も理解すべきであろう。し
ばしば、米ドルに比して当局の意思決定が遅い、明確さを欠く、国際通貨
としての機能を欠くetcの批判が見られたが、本来本質の異なる二つの機
能の優劣を対比した形になっておりその議論にはしばしば無理があるよう
に思われる。

　従って、現段階までは勿論、米ドルが第二次大戦後に経済的・政治的に
圧倒的な堅固な支配力を西側国際社会に持つにいたった米国の力で国際基
軸通貨の位置を占めて来た。その結果、数次に亘る国際通貨危機を経ても
依然として米ドルの国際通貨としての地位を崩すことにはならなかったこ
とはしばしば論じられているように事実であろう。

②ユーロの機能と現状

　ユーロはＥＵ諸国と周辺の欧州数ヶ国に通用する地域通貨であると見做されてきたこと従い米ドルに代替するものではないことは当初から現在まで依然として変わらない。しかし、だからと言って米ドル代わる国際通貨が現れないから、現今まで継続した米ドルを国際基軸通貨として尊重するのが不変の真理であるがごとく論じるのは論理的ではない。国際市場で一極集中の形で、米ドルが国際通貨と見做され、国際金融の世界に投機金融がはびこり 30 年以上、国際金融市場と国際経済まで危機に追い込みながら、それに対する有効な方法が取れない。または米英はその投機的金融に絶対に必要な制約を掛けることに同意しないという姿勢で今日まで経過して来たことにつき米国英国以外の国々は結束して必要手段を講ずるべきである。その都度各国の意見は微妙に相違し、足並みが揃わない。その当事者であるユーロ加盟国への利害得失をさておいても国際金融市場において米ドルの一極支配を緩和させる通貨としてユーロの果たした役割は重要なものがあろう。

　今回のユーロの危機はこの 30 年以上、国際金融経済危機の直接の原因を惹起させたアクターである投機金融機関の改革を促しているものと解釈したい。ユーロの危機は勿論ユーロメンバー国自身が有しているまた行って来た多くの行動およびユーロシステム自身が有する矛盾がその要因となって発生しその後も危機を脱する有効な政策と行動がとれないで時間が経過したという実状にあることは事実であるが、その遠因を辿れば多国籍米銀の行動と弱みのある国の金融機関を目標にして利益追求の投機行動を繰り返した金融機関、投機集団の行動を忠実に俎上にあげて将来への対策を取らねばならないであろう。

③国際通貨・金融危機への対応

　2008 年の末に顕在化して今も継続しているユーロの危機についてその発生原因についての解釈、説明は数知れず存在するが、おのおの取り上げる事実の解釈に少しづつの差異があり、最大公約数的な理解しか得ることが出来ない。ギリシャが加盟時から無理をして財政赤字を過少申告していた

こと、さらに、2008年政権交代に際して財政赤字の過少申告をしてきた
ことを暴露した。これには米国の著名な投資銀行、ゴールドマン・サック
スがコンサルタントとして過少申告の技巧の指導とか、金融商品の購入と
かを勧めて来た事実などが市場の不信を買い、その後のギリシャ政府、Ｅ
Ｕの対応に過ちがあったなどなど要因は複雑多岐に亘り、単一の原因だけ
で説明出来るものではないようであった。諸悪は米銀根源論、陰謀説とい
うようなドラスチックな解釈、説明をする気はない。しかし広岡裕児が強
調するように、アクターが関与して危機を煽るか、宣伝したのは間違いな
い。金融の社会は時にその行動は一部の集団により左右されており、決し
て理論に従って全てが動くわけではない。その事実を基本に据えて考察を
続けることにしたい。

　金融危機の様相を呈し始めて以降の各国およびＥＵそのものの動きは緩
慢に過ぎたものと批評され続けられた。意思決定を取るには合議制が市場
の動きの速さに付いていけないと一言で片づけるわけにはいかない。これ
らが世界経済に与えた負の影響は大きいものがあるだろう。共同体を形成
すれば一国に生じた金融不安、それも国家債務がその返済力の信用が失わ
れたと市場に見做されたことが共同体全体の信用を失墜させるのか。国家
債務累積、債務返済不能という問題は開発途上国に数多く見られた問題で
あり、国際社会はこれを債務過剰国の責任を問うという姿勢で現在まで対
処してきた。

　後述するが今回、先進国のグループの一員がこの同じ過ちによって財政
破綻に直面した状況に至った。開発途上国の債務問題への対処と同じく、
ここでも国際的ルールに基づきＩＭＦが登場して緊急の財務支援に乗り出
した。

　しかし、ギリシャは一国ではなく、グループの一員である。その出発点
ではドイツのメルケル首相は「ＩＭＦに十分支援して貰いましょう。その
ため我々は長年ＩＭＦに十分資金を提供してきた」と言い放つ姿勢であっ
たが、ギリシャはＩＭＦの課すコンディシオナリティを拒絶した。

　しかしギリシャ問題は容易に見透しが付けられるものでなく、援助当事

者もEU理事会、ECB（欧州中央銀行）、IMFの三者によるいわゆるトロイカ方式となって援助を継続した。

（2）財政の統合の必要性、可能性

　財政の統合とは国家間で金融の統合を行う、より踏み込んだ国家主権の喪失を意味するものである。ヨーロッパの自称する近代国民国家は大きな二本の柱により形成されていたと解釈される。即ち財政と金融であり、国家の政治・行政はこの二つの制度を運営する事により行われた。

　EECはECに発展しさらにEUとして国家連合を果たした。そのあとに来る共同体の機能として金融を統合しユーロにより各参加国の経済・金融の運営を行って来た。財政の統一がなければ、金融の統一だけでは困難に陥るであろうことは筆者もかねてから主張してきた。（資料2−1参照）しかし同論文でも筆者は財政の統一がなければ金融の統一は機能しないとは論じていないし、EU諸国は財政でも政策の共通性を保つ試みを継続していた。

　財政の統一とは歳入面では税収の一極化、これはユーロ加盟国各国で連邦税として一律の課税を行い、同時に地方税の性格で国別に異なる率、額の課税を行うことで対応するであろう。このように二階建ての仕組みで課税を行うとしても連邦中央政府はどの範囲で財政の運営を行うのかの決定は容易なことではない。また歳出面では各国別に運営してきた行政費、社会保障費などを共通化するか、これは各国別に徴収する地方税的性格の税収で施行するのか、それでなお共同体の特質が保てるのかという疑問など数多くの難問がある。

　今回襲ったユーロの危機は構造的にEUの欠陥とされている各国別の経済力の格差、その格差の存在する儘、ユーロという単一通貨への信頼から経済力の低い国々が財政運営を国債発行によって行った。つまり経済力の強いドイツも弱いギリシャも国際市場では同じ信頼度で国債を発行してきたが、ある時、市場がこの矛盾に気づいて、ギリシャ国債、ほかアイルランド、スペインなどPIIGSと総称された南欧州各国の国債の金利は跳

ね上がり返済期にはデフォルトを生じるかと懸念された。つまり歳入面で借金経営をしてその返済に不安感が生じたために国際金融市場が大きな不安に襲われた。

　多くの救済措置やＥＵ加盟国の協力によりかつまたＥＣＢ（欧州中央銀行）の総裁の時宜を得たユーロ堅持の声明により危機感は一時沈静化した。さらに現在2013年の末頃になって欧州は経済的にも成長傾向をしめし、その間の多くの改革によりかってないほど経済地盤が強化されたと表明された。

　この間、いまだ財政の統一はされていない。しかし最もその効果面でそれに近い措置として実現されたのは「銀行同盟」であろう。各国の銀行は今後各国の当局の行政指導ではなくＥＵ内各国の主要銀行の連合体の方針によって行動することになる。これは各国の重要な主権の一つ金融行政権を明け渡す事になり、金融業界にとっては、金融危機の再来のおりは共同して対処するという明確な保証をえた形になる。財政の統一は考えのなかでは以前として強固な方針として存在するようであるが、実際にはまだ着手は出来ない課題であるようだ。

（3）財政と金融の統一

　金融がその制度・運営において複雑多岐にわたる問題を提示するように財政には同じく随伴する問題は無数にある。特に財政は歳入歳出ともに各局面での政治に直接かかわりあっている。従って、国際間で財政を全面的に統一するという事は上にのべたように、短時間でなしうることではない。

　近代国家が誕生した時から今日まで国家運営の車の車輪ともいうべき関係に位置付けられたのが財政と金融であり、両者は不可分であろう。しかし当面、金融・経済から歩み寄り統合を進めて行ったのは現実的な行動として評価される。一度、金融の危機が発生すると、国際社会では当然のこととしても我が国でもユーロへの懐疑論、否定論が続出した。とりわけ強調されたのは、財政の統合の不存在である事実から金融統合は機能しないという議論、および、だから過剰債務国ギリシャなどはユーロから脱退す

べきとかドイツがユーロから脱退してユーロシステムはメルトダウンするなどの過激な議論であったが、事実としては極めて深刻な事態が継続し、各国内の国内世論もユーロの存続に極めて否定的になったことも事実であるようだ。ドイツはリーダーであるメルケル首相の姿勢そのものが、曖昧というより、消極的と評せざるを得ないものであった。フランスのサルコジ大統領と提携してメルコジと呼称されるほど緊密な意思疎通をはかったが、サルコジが政権から離れたのちはフランスとも足並みが揃わずＥＵの方向は舵取りがいないますます不安なものとなった。一挙に財政統合に進むべしという意見もでたが、到底実現できるものではなく、金融不安を取り除く努力が継続された。メルケルの厳しい姿勢は一つには北部欧州と南部欧州との間の文化の差異に基づく規律にたいする対応の相違に起因する。つまりドイツをはじめとする北部欧州では基準は遵守すべしと考えたが、ギリシャほか南部欧州は基準は一応の目標であるという認識しかなかったのだとされる。周知のとおり、ユーロ加盟国には加盟条件として財政の赤字許容範囲は対ＧＤＰ比年率３％、累積赤字幅は同じく60％と定めていた。後に不況の際に財政支出を増大させたドイツまでがこの基準を守れなかったので【2002－2004年】、ますます南部欧州では財政基準への認識が甘くなったことは否めないであろう。しかしドイツ政府の頑なな態度は第一義的には国内向けの政治姿勢であり、メルケルが無制限にギリシャほか重債務国を援助する負担を負えば、国民が納得しないで政権を失うであろうという懸念である。ここでしばしば言及されることは、ユーロの存続した2000年代当初から2008年ごろまで最もユーロから利益を得たのはドイツである。それを政府が国民に説明し納得せしめれば良いのであるという議論である。筆者はごく現実的にこれは難しいと論じた。つまりアクターの別物だという事実、ユーロが強く推移した2003年から2008年までドイツは為替の影響を受けることなく輸出を堅持し経常収支で大幅な黒字を累積した。しかしそれは企業であり国であった。国民はその間、賃金昇給を抑え構造改革を実施し厳しさに耐えて来たという実績がある。国民の世論を重債務国救済が義務であるとするのは無理であり、まして、財政を

統合して同一の歳入歳出の構造にするなどは国民の同意が取れるはずがない。しかし、ドイツの有力な専門家の中にはこれはドイツの義務であるとして厳しく自らを律するものもある。（参考　ウルリッヒ・ベック著　邦訳『ユーロ消滅、ドイツ化するヨーロッパへの警告』）

　今ただちに財政統合がなければ金融統合は継続できないとする極論は首肯できない。ユーロ出発点から2008年危機の到来まで実際にユーロは機能したし有力な国際通貨として米ドルに匹敵するかと論じる論調も数多くあった。確かに2008年末から到来したユーロの危機、ユーロ圏の協力関係の挫折と喧伝された今回の危機はＥＵの歴史のなかでも特筆すべき大きな危機であった。しかし財政の統合を先延ばししたとしても、ユーロは機能するし今までより一層強力になり、国際金融市場でその存在感をますであろう。

　財政の統合にはまだ幾つか未解決の問題があり、圏内の国々の意識としてはその必要性を認めている者もあるが実現までには相当の時間を要するであろう。ＥＵは主権国家が歩み寄った連合体であり共同体とはいえるがまだ連邦とはなっていないのである。しかし欧州自身が認めるように彼らは米国流の連邦を企図しているのではなく、あくまで多様性のなかでの統合を目しておりその目標として財政を統合して国民生活をより均一なるものにすることがスケジュール表に乗るか否か議論のあるところである。この２項目では米ドルの影響をあえて論じなかったが、米ドルすなわち米国の国家意思がこれ以上ユーロの強力化を望まないことは随所に看取できることであり、また国際金融市場において賭博的な金融行動をとることを依然として監督、制御する意思を示さないことも事実である。

2　近未来への展望

（1）ユーロのメルトダウン

　ユーロの危機が展開する途次で幾つかのユーロ消滅論に遭遇した。また講演会などでは、直接的にユーロ解消の必然性に言及するものもあった。

これらの論調は根本的にユーロ創設までの歴史を知らないまたは理解する意思を欠如したものであるように思えた。

　弱者側の代表と見做されたギリシャの世論をみても、ＥＵが救済のために付けた条件・コンディシオリナリィティには不服であるが、ユーロ圏にはとどまりたいと明確に表明していた。国家財政としても万一ユーロを脱して元のドラクマに戻ると仮定すると、為替レートが下がって輸出力が回復されるどころか、それ以前に為替レートが下がった分に比例してユーロ建ての債務が激増して耐えきれるものではない。この事情は債務累積問題で困窮した開発途上国の多くが経験済みである。他方、強者側のドイツが重荷になる債務累積国を救済するよりユーロを脱退して元のマルクに返るか。と自問すれば、事実その意見もドイツ内にも相当見られたが、答えはやはり否であった。経済的には勿論、政治的、社会的にこれほど大きなロスを生じる行動は取れないというのが、現在までの実の姿である。

（2）危機の到来、継続の意思

　ここで再度ユーロの危機は何故発生したか、またユーロ継続の意思が保たれたのは何故か。という問題を再考しておこう。

　危機の発生はギリシャの国内の政権が交代した際、前政権が財政赤字を過小評価して欺瞞の報告を出していたと暴露した事に端を発するとほとんどの情報で報じられていた。2008年末に確かに「ギリシャ政府と米国ゴールドマンサックスの欺瞞」というスキャンダラスな情報が欧州の庶民の間でも語り合われた状況が生じたが、米銀への批判は短い期間で雨散霧消した。仕掛け人であって危機収拾の当事者ではないからであろう。

　ただ、ギリシャはユーロ加入の際にも財政赤字を過小申告したと言われており、他の加盟国はそれを知っていたという。しかし全体に占めるギリシャの経済的、経済的、金融的存在が僅少なので、目立たなかったとされる。それが2008年末その時期に発覚し危機の連鎖を生んだのか。その危機として生じる以前にゴールドマンサックスは数年に亘り欺瞞の申告方法をギリシャ政府に指導し、二度、各5億ドルの手数料を取ったとささやかれて

いる。つまり、国際市場でもうけをたくらんだグループによる作為が見え
隠れするという事実である。ユーロの構造そのものに問題があったことは
間違いないし債務累積の肥大化により当該国の国債が普通に取り扱われな
くなり、金利の暴騰を招き、償還時にデフォルトを惹き起こすかという疑
念によって国際市場を混乱に陥れた。これらの困難な事態に対するユーロ
圏の国々の救済のための措置に関して、意思決定が取れない、救済措置を
とるのが遅すぎて効果が得られないなど多国間の協調の齟齬から危機が拡
大し長期化したのだという説明も真実をついている。しかし筆者は国際的
な金融危機という名前で取り上げられる事態では必ず米国多国籍金融機関
が関与してきた事実に注目したい。米国の諸悪根源論とか米ドルの陰謀説
などは取りたくない。すべてがシナリオどおりに運ばれるはずはない。し
かしにも拘らず、火種があればそれを拡大して国際金融の仕組みを利用し
て儲けようとする投機専門の金融業者とそれを支援する米国巨大金融資本
が常に陰に暗躍している。第二次大戦後、欧州の市場を荒らしたユーロダ
ラーへの投機に始まりこの50年間、あらゆる国際的な金融危機とよばれ
た状況には必ずと言ってよいほどこれらの金融投機筋が関与している。こ
の影響は正確に把握できないだけでなく、何らかの意思が働いて確実なコ
ントロールが出来ないまま今日に至っている。

　従いユーロ危機の収束と近い将来図を描く場合、今度こそは国際社会が
結束して、国際的な金融投機の行動を制御するメカニズムを確立する必要
がある。トンビー税など米英だけが反対しているが、他の国が一斉に各国
内での米英の金融機関にこの税を課せばよいのである。

　構造的には危機を招いた要因として3点を指摘しておこう。

　第1、欧州中央銀行（ECB）の金融政策は物価の安定にあり（これは
ドイツのブンデスバンクの伝統的政策の延長であったかもしれない）金融
システムの安定はECBの政策目標には取り上げていなかった。従って
マーストリヒト条約の安定化条約を付すのみでECBに金融安定措置を取
ることの義務を与えなかった。

　第2に、加盟国の財政規律が不完全であった。安定成長協定を策定し財

政規律を謳ったが、財政赤字の歯止めにはならなかった。

　第3に、ＥＵに於いては他の加盟国にたいする救済資金援助メカニズムが確立されておらず逆にリスボン条約ではＥＵおよび加盟国は天災地変のような場合を除き他の国を援助してはならないと規定していた。これらの基本的な弱点は今回の危機で全員に認識された強固な構造改革が「行われた。

（3）想定される将来図

　改革の後にどのような将来図が描けるか。まずユーロはメルトダウンするか、その選択を取るかという最もドラスチックな想像がある。フランスの専門家、フィガロ紙の経済担当主筆などは言下にこれを否定した。「そんな巨大な損失を負うことはない」という見解である。同じくフランスの経済学者ボワイエは想定される七つの事態を描いている。^(注2)がその中で興味深いのはユーロ圏が２地域に分裂して運営するというシナリオである。即ち経済的に強い北グループと南欧州のグループである。これは何等、ユーロのメルトダウンではなく、一つの現実的選択肢であろう。実際にはそれを行わずして回復基調にある。しかしこれは重要な選択肢として今後も議論されるであろう。

　確かにもし二つのユーロが誕生すれば単一通貨、一つのヨーロッパとは呼称出来ないであろう。北と南のユーロは経済力を反映して交換レートも異なるであろう。しかしそのため分裂して決裂するという事態にまでは至らないであろう。現にユーロ参加国と不参加のＥＵ各国の間に深刻な対立は生じていない。この際もっとも複雑な選択肢を迫られるのはフランスであろう。政治的にはフランスは北側に属したい。（ボアイエ氏の見解）例えフランスの発言権がそのため低下することがあっても、経済的安定や政治的な国際社会での位置からみてそれが得策であり北側欧州諸国もドイツをはじめフランスの北側グループへの参加を拒絶はしないだろう。しかし、置き去りにされる南欧州諸国の立場と欧州内の望むバランスを保つ観点からはフランスは南に属してほしいという要請が強くなるであろう。

このユーロ二分割の想定はそれ自身極めてドラスチックなものであり、経済的安定を取り戻し構造改革が進み重債務国が自立できる見通しがたてばその必要もなく今後慎重な運営が行われユーロは健全な通貨として国際金融市場で活用されるであろう。筆者の論文で既にみたように多くの国が使用する通貨はそれだけで存在が高まるのである。米ドルと拮抗するとかの議論は目下必要では無い。結果はおのずから先行き数年の間に示されるであろう。しかし、米ドルの覇権の衰微は疑いなしであろう。

3　第３者への影響、教訓

（1）アジアへの教訓

　まずアジアへの影響というより教訓を摘出してみよう。アジア共通通貨の想定は議論だけに留まるであろうし、また議論も不要であろう。但しアジア版ＩＭＦ（仮称：ＡＭＦ）は議論し政策として国際的に協議し実現すべきである。ＩＭＦと２階建てになると米国に非難されてもそれを克服して行うべきである。通貨を統合して単一通貨にするには遙かに多くの時間と条件の整備が必要である。しかしＡＭＦは経済力の異なる国々によっても設立することが出来る。

　経済的影響として欧州の経済低迷の直接的影響としてアジアからの特に中国からの輸出が鈍化した。基本資材を中国に輸出していた日本の輸出業界も不可避的にマイナスの影響を蒙った。しかし、単純に輸出が鈍化したという即物的なマイナスだけではない。国際的な通貨が二極になるかと期待した途端に米ドルに打撃を受けるという局面を迎えた事、事態が大きな問題である。アジアでは曲がりなりにも米ドル経済が持続している。貿易決済、外貨準備など依然として米ドル依存であるが、これを抜け出して多数通貨を使用する状況を作りだして国際経済の安定を図らなければならない。

　ギリシャでの債務累積、流動性の低下と緊急援助資金の必要、そうした局面に対応するＩＭＦの姿勢、政策は開発途上国の同様な危機にたいする

姿勢と全く変わらない。つまり困窮している国の立場ではなく国際的権威の視点からさらに言えば米国資本の方針にしたがって、被援助国に緊急融資を提案する。ギリシャが当初これを拒絶したのは先進国であるというプライドからというより、背後にはユーロ圏があるＥＵの一員であるという拠り所からであったかもしれない。しかしアジアも同じ立場に於いて如何なる対応が可能かいくつものシナリオが想定されるが、ＩＭＦに代わって地域金融機関と各国共同支援によって解決するという方法を模索すべきである。

　かっってのアジア金融危機での苦い経験を次回はかならず生かして同じ過ちを繰り返さないようにアジア各国が共通の理解を持たねばならない。欧州もまた彼らの危機で再度同じ局面に立たされた。現代国際金融体制が米ドル基軸通貨で成り立っていると見做されている間はこのＩＭＦの介入は避けられない道かもしれない。しかしそのような状況下においても地域の問題は地域が主体的に解決するという基本理念の達成が望まれる。

（２）ＢＲＩＣｓへの影響

　ユーロの危機の影響をＢＲＩＣｓに限って点検することは特別の成果を得られる性質のものではない。というのはこの区分で捉える国々は特定の地域的集合や歴史的つながりとか政治的連携とかを持っている国々ではない。従いユーロの危機を招来してもこれらのグループに特段の影響がみられるという可能性はほとんどない。また米紙フォリンアフェアーズが述べるようにＢＲＩＣｓはグループとしては何の機能も持たない。という論も米国の覇権を肯定する意図がその根定にあるとしても、相当事実であることも確かである。

　ただ、Ｇ８では国際社会の政治経済の課題は論議することが出来ないとし、今後Ｇ20によって国際社会の合議によって対応しようとした2008年末からの動きの中で欧州、なかんずくＥＵの発言力の高揚はＢＲＩＣｓのグループにとっても意味がある。逆にユーロの危機が継続して元の米ドル一極支配に戻ることは、彼らが一度は振り上げた国際社会での米一極支配

の廃止という動静はユーロの国際通貨としての機能に大いに関係してくることは間違いない。欧州の経済不況によって直接彼らの輸出額が減少するという影響は存在するが、たいしたものではない。要は変貌する国際社会での力関係で彼らを支持するまたは利用しようとしているＥＵの存在感の動向が彼らに如何なる影響を与えるかの観点から見る必要があるであろう。加えて、彼等のうち各国がＥＵとどのように関わり合うかが問題である。例えば中国は独自に対ＥＵ外交を進めるのか或いはＢＲＩＣｓとして協調路線をとるのか、ロシアはどうかという観点からＥＵの経済的、政治的動静を把握していく必要がある。「ＢＲＩＣｓは解体した」と米紙フォリンアフェアーズは切って捨てているが一度、明示した自らのグループの存在を捨て去るものではない。重要なことはＥＵがユーロの危機を脱して国際社会での発言力ヲましＢＲＩＣｓの主張を支持するという影響を与えることであろう。国際社会は不安定な米国の一国支配、信認の揺らいでいる米ドルの基軸通貨の存続にどのように対応するかが問われているのである。

（３）日本への教訓

何よりも重要なのは日本への影響、日本でのこのユーロ危機の正しい理解が得られる教訓および今後の対応であろう。影響は直接輸出額が減少したとか、直接投資が鈍化したとかあってもそれまでの相互の経済的なかかわりかたが少ないので、産業界は全体的にはユーロの危機を問題としては取り上げて来た形跡はない。マスメディアや研究者の集団が情報として或いは研究対象として取り上げ、日本へのあるいはアジアへの教訓を抽出することを試みている。事実、ＥＵとアジアの関係を研究、討議した成果は無数にある。

ここでそれらを紹介または批判することは紙面の制約から不能であるが、ただ一点、言いうることは日本ではどちらかと言えばユーロの危機を捉えるのにドクマチックな論調になっており、観念的に捉える傾向が強いのが看取できる。加えて、アングロサクソン系というか米国系の情報、論

調を強調して報じる傾向もみられる。つまりユーロが堅調に推移している時はその力を過大評価しながらも、米ドルが基軸通貨として絶対的なパワーを有しているような評価の仕方が類書に見受けられた。

　まず、ＥＵの採ってきた過程を真似する形でアジアの経済統合を論じて来たのは、ひとまず停止することになるであろう。ＥＵそのものについても、従来のように安易に共同市場が作れるという考え方は消えて、むしろ否定的な論調が強まるであろう。事実、共同市場の基本的な貿易に関しても、中国を抜きにしてアメリカを中心にＴＰＰを推進する動きがきわめて速く具体的な日程に上るほど日本は対米依存から抜け切れない体質および構造を持っている。しかし、ユーロの危機そのものが米国発のリーマンショックの延長線上に発生した金融危機であることを再考し、今日まで継続した米ドル一極支配の前提に立った国際金融市場のあり方そのものの変貌に対する日本の姿勢が問われているのであろう。ＥＵはやっと危機を通過した観がある。

　2013 年 11 月末の Europlace の席上、仏国中銀総裁の力強いユーロの近い将来の回復、その前提となる多くの構造改革なかんずく欧州銀行同盟の発足を目の当たりにして、ＥＵは結局、米国には屈服しなかったことを確認できた。日本は太平洋を経済圏としているが、国際的政治、経済の政策面では大いに欧州に学ばなければならない。基本的に米国とは対等な経済、政治的な協力関係は維持できない。依存の関係を保つことが不可避的な事実ならば出来るだけ距離を置いてＥＵの姿勢に類した同意するが常に距離を置くという位置を取ることが肝要である。

7　ユーロの危機の経過と課題

　2008 年顕在化して今日まで継続しているユーロ圏の金融・財政危機は 2012 年に至っても回復の兆しはなく、日本のマスメディアと専門家の解説ではユーロ圏の経済危機は根本的に治癒して安定的な経済成長の路線に乗

るであろうという説はほとんど見当たらない。日本ではヨーロッパには心
理的距離感からか、その危機を対岸の火事的な捉え方がつきまとっている
ように見える。

　この論文ではユーロ圏諸国が採用している個別の経済対策やＥＵの有す
る根本的問題を考察してみたい。

1　財政的統合

　危機の当初から、今回の危機の打破、克服にはユーロ圏諸国の財政の統
合が不可避的に必要でありそれが出来なければユーロはメルトダウンする
であろう。このラディカルともいえる解説は相当数見られた。（浜矩子『Ｅ
Ｕメルトダウン』ほか時事評論など多数）確かに、自分の過去の論文でも
しばしばユーロ圏では財政が手つかずのまま通貨だけを共通化して、その
ままで健全に継続できるものであろうか、と疑問を呈してきた。しかし、
また現実論に戻ると財政の共通化は現時点では到底実施できるものではな
いとしか言えなかった。各加盟国の経済状況が異なる以上にその社会構造、
社会システムが異なるのであるから、例えば、社会保障の給付などを一律
化することなどにつき各国内で国民のコンセンサスを得るにはどれだけの
期間を要するか見当もつかないとしか言えなかった。

　しかし、また一方で財政のうち歳入だけでも共通化できないか、と考え
を巡らせてみた。各国政府の国内の税率は異なり、この税収のほうを平準
化するように変更することは国内で相当な政治的変動を惹き起こし、国民
の合意は容易には得られないだろう。つまり米国の連邦税の性格を有する
直接税の標準化もＥＵでは実現は極めて困難であると思われる。そこで歳
入の一形態である国の借金だけを共通化できるのではないかと考えてみ
た。筆者の予想どおりなのか、ユーロ参入国ではＥＵ債を発行しようとい
う案が提示され討議された。この際、負担が重くなるドイツの反発は予想
されたところであった。しかしユーロ圏内で経済的には最大の受益者に
なってきているドイツは何時までもＥＵ共通債に反対を続けられないで何
等かの妥協をするであろう。この国債発行の目的は要するに信用が低下し

てきている国（ギリシャ、ポルトガル、スペインに加えてイタリアも数えることにする）の国債の裏付けとしてユーロ加盟国全体が責任を負う債権を用いることにするという一点にある。われわれの論理より感覚でみると、ヨーロッパ諸国の集合体であるＥＵの意思決定はいかにも遅い。危機に対応する具体的な対策を実施する以前にメルトダウンが発生するのではないかと危惧されることがきわめて多い。しかし、彼等の行動の歴史を紐解いて再考してみると、どの様な危機が発生しても最後には共同体の全員が何らかの妥協により整合性のある行動となって、共通の利益を計れるように結実しているように思われる。とはいえ今回の長引く危機に対して過去には取りえなかった例外的な措置の実施も十分考えられる。翻って加盟国間で財政政策について相互の協調を図るべく協議は行われてきたが、基本的に各国の主権下に運営されてきた財政を共通化させてＥＵ本部が財政の全課題を決定し運用するのはまだまだ数年先の課題であろう。

　参考として判断材料となるのは米国の連邦制度であろうか。米国連邦の形成過程をみると state として連邦に新規に加盟するには準加盟の形態で１年ないし２年の過渡期を置く等の措置をとるとか出発点の 13 の states から加盟者が増加していくには相当の時間を要していることが判る。また連邦を形成して行く各 state は連邦に加盟する時点では、まだ近代国家としては未成熟の状態であったから連邦を形成することが可能であったという要因をも見て取れる。財政の共通化は租税権という各国の主権を中央に委譲することを伴うわけであるが、米国の連邦税に類似してＥＵ税としては一部分の直接税を納め、各国の運営は地方税の形で大部分の租税は各国の主権に委ねることになるのではないかと思われる。ただ現時点で即時、財政の統合が行わなければユーロ圏はメルトダウンするとなす説は極めて極端であり、それではユーロの出発点から今日までこのシステムが継続した事実の説明がつかない。

2　加盟国の離脱

　ＥＵもユーロ圏も同じく入会の条件は相互の合意で定められていたが、

離脱の規定や条件は定められていなかった。この事実をもって離脱国は出ないとか離脱国が生じた時は全体が崩壊するときであると論じるものもある。しかし人間社会が造り上げたものは人間社会が変更できない筈はないという基本認識にたてば、この問題についても変更はありうると考えても非合理ではない。ギリシャの離脱の可能性はしばしば論調としては、例えば日本では時事評論家、増田俊男などが言及してきている。ユーロ圏の立場と個別の対象国のそれとを区別して考察してみると、ユーロ圏としては離脱国が発生すると全体への国際社会からの信用が毀損されユーロの地域内基準通貨としての信認が揺らぐなどそのダメージは想像以上に大きいものとなるだろう。しかしユーロ圏そのものが消滅するほどの打撃とはならないであろう。従い、ユーロ圏加盟国の間ではギリシャが圏内から脱出するシナリオも想定する選択肢として検討している。だがギリシャ一国が離脱してもユーロ圏が崩壊することにはならない。それは各国の経済規模、安定性など全ての要素を総合して考察すれば判断されることである。

　翻って対象者としてのギリシャにとって共通通貨圏から離脱してもとの通貨を採用し通貨と為替の管理を自国の主権のもとに取り戻せば危機状況から脱出できるのか。この仮定を理論的に考察してみよう。

　ギリシャは昨年末（12 月 7 日）には 2012 年度緊縮予算案を議会で賛成258 対反対 41 で可決した。財政赤字をＧＤＰ比 5.4％まで縮小すると想定したが、その後もドイツにＥＵ支援に伴う条件を緩和することを申し出て交渉するとか、ＥＵ本部によるギリシャの財政監督は拒否するとか今年度に入っても様々な形でＥＵに抵抗ないしは交渉を続けている。実際にギリシャは離脱せざるを得ないとした場合ではその得失はどうか。ユーロ圏内から離脱すればギリシャ自身の過去の債務は支えを失って市場における信用が失墜する。加えてユーロ建てで国債を発行して財政を支えてきたわけであるから、自国通貨、ドラクマの為替相場が墜落すると必然的にユーロ建ての債務の負担は激増する。不払いが生じた場合を想定すると、国家債務不履行は当該国の置かれる国際的位置はどのようになるのか想像がつかない。小国のアイスランドが自らを売りに出したが、そのような行動がと

れるのか否か、ギリシャや南欧諸国の場合はこれほど極端な行為は取れないとすると、離脱の選択肢は容易には考えられない。ギリシャ国民の世論調査では80％の国民はユーロ圏離脱反対であったという。自らが離脱の選択肢をとり、為替相場で安くなった自国通貨ドラクマで輸出促進を図る想定とは絵空事であろう。従って今しばらくはユーロ圏の国際的協調に待つしかないのではなかろうか。ただ債務返済危機が一応の解決の見通しを得たのちに再度、加盟条件の検討を行うような対応はありうるかもしれない。しかし、今回の危機は長期化していることに加え、基本的に経済構造の視点から無理な加盟国を参加させたという反省もあるので、ギリシャのユーロ圏からの離脱という選択肢もあるという仮定で加盟国の会議は検討を継続している。[1]

3　問題のありか

　ここで再度、欧州の危機を総括的に振り返り問題の発生原因またはその後の経緯について説明を試み、続いて次章で現在の主な対応策を考察してみよう。これらの情報は参考としては注1記載の仏語文献を用いた。まずユーロが流通し機能し始めた段階では、約10年間は支障を生じないで、国際金融として多くの点で期待をもって運営されてきた。欧州内部で北部の豊かな国々から資本が南部に移動する事によってユーロ圏の国の間の格差が縮小し始めたのか。或いは、経常収支の不均衡は金融共同体の内部ではさして大きな問題にはならない。あたかも最適通貨圏という理論が存在を忘れさせるほど楽観的なムードがEU圏内にあふれた。[2]

　国際市場では為替相場の大きな変動が2003年ごろから2007年まで続きユーロは対ドル相場を大きく上げていた。ユーロが強すぎるのではなく、ドルが安いのであり、同時に米国の金融資本によって意図的にユーロを高くする動きが数年継続したと解釈される。しかしユーロ圏内の国、なかん

（1）参考資料2の8頁「ギリシャのユーロ圏からの離脱も予見した真剣な議論がユーロ加盟国で行われている」とある。

（2）参考資料1の5頁。

ずくドイツのように産業の国際競争力の強い国にはユーロ圏内の輸出市場
があり、輸出産業には決定的な打撃を与えることはなかった。⁽³⁾

　その間にもいざ何等かのショックが到来したら、それに耐えうるように
ＥＵ内で共通の政策が取れるかという疑問は常に内部から発言されてい
た。そして2007年ごろから事実、成功の重い代償ともいえる形で米国発
の金融危機とそれに続く経済不況がやってきてＥＵに直接影響を与えた。
その時から、なぜこのような急激な危機が発生し急速にユーロ圏内の他の
国に伝播したかという議題と、またこの様な危機を再度生じないためには
何が必要か、などの課題について多くの議論が行われてきた。

　ユーロ圏の経済・金融の世界では単純化して考察すると、共通通貨の導
入によりまず為替交換コストがゼロになったメリットがあり、また資本の
豊富な国から低所得であるが成長の見込める国には一定の見込みがある期
間は資本が流入した。しかしこれが過剰になると経済のバブルを呼んだ。

　ユーロ圏内で相互の投資が製造部門に入ればよいが、資金流入と製造業
の成長は一致はしないので不動産部門に流入し或いは株式市場に入った
が、住宅バブルは間もなくはじけて不動産市場では価格が暴落した。この
経験は多くの国で知られていたが、適切な政策による市場の誘導が上手く
機能しないかぎり不動産バブルは必然不可避的に経済・金融市場を混乱さ
せる、またその復旧には長期の時間を要する。

　各国間の経済的不均衡がより拡大した経緯をみると、ユーロ圏では調整
機能が働かず金融市場での不均衡を拡大した。①各国の首脳は短期的視野
で計画性を欠いた歳出を行った。また財政政策において不測の事態に備え
ることを怠った②労働と生産の構造は変革できないままでコスト高をもた
らし、物価スライド型の賃金は物価高を招いた③金融市場は市場の規律を
定着させることが出来なかった④ユーロ圏内での経済政策の調整が着かな
いために経済格差から不均衡が継続した。ギリシャ危機から幾つかの国が
経済成長路線を取れないのが不均衡が継続する原因だと考えたが、ユーロ

（3）参考資料1の18頁。

83

は地域間の不均衡を是正するような機能を持つ単一通貨ではない。

　通貨統合の機能を改善する議論は多く行われたが、いまだ決定的な方策は判っていない。最適通貨論では物価と所得の平準化を重視しているように、ユーロ圏では為替の交換比率と各国別の金利を無くすることによって加盟国の経済的平準化を図り、労働の移動と財政の各国間での移動が柔軟化する事を期待したが、米国発の世界的危機が来たとき、これらの期待は満たされ得なかった。実際、最後の貸し手になる者が居なかったり、支払準備金が不足している国の債権に対して投機筋が攻撃をかけた時にそれらへの対応が出来ないという問題が生じた。[4]

　加えて米ドルの関与、すなわち米国の金融と金融機関がこのユーロ危機に直接影響を与えている事実を明記しておかねばならない。ギリシャ危機を招来したときの米銀ゴールドマンサックスがギリシャ政府に財政報告を粉飾するように誘導した行動などは責任の所在というよりも現実的な事実として認め、今後危機の再発を防ぐ方策を考察しなければならない。2009年ごろのEU内でのギリシャと米国銀行への非難のうち米銀への批評は時間とともに薄れたが、法外な手数料を二度にわたってギリシャ政府から徴収するなどこの危機発生の重要なアクターであったことは間違いない。ここでメディアの報告ではその時折に応じて金融危機、財政危機、経済危機の各々の問題を論じ、個別に原因や対策を論じている傾向があることを付記しておきたい。実際にはこれらの危機は同時並行的に生じたり、相互に原因と結果となるような相関関係が理論的にも経験的にも知られている。つまり経済関係の悪化、バブルとか不況とかが続くと財政出動によってこれをカバーする必要が生じる。それは忽ち財政赤字につながり国債の発行増は金融増を招き過剰な流動性は不動産投資など物価上昇とは別のバブル型投資を誘導する。財政赤字の増大、国債の累積増は即ちソヴリンリスクを引き起こす。またこれらの金融をベースにする危機は隣国へ、国際市場へと素早く伝播するのがグローバル時代の必然的な趨勢である。EUのご

（4）参考資料1の6-7頁。

とくグループを統合して運営するとその伝播する速度、深化もより増幅するのである。しかしユーロ圏は自主的解決により多くの行動を行ってきている。

4　主要な対応策

　ＥＵは先述したような問題に対応すべき幾つかの方策を採ってきたが、ユーロ圏の国に生じた金融・経済の諸問題は要因も多く、根本的には金融、不動産バブルが根本となっている性格からしてその回復、修復には相当の時間が掛かると言える。最近時に共通のコンセンサスとしてユーロ圏全体として、またメンバー各国が一致して協力しようとしている方策のうち主要なものを以下の四点について述べることにする。

第１　財政規律をより厳しくする

　この原則はユーロ採用の当初から提起されているが、2011年のユーロ圏の各国で新規の条文より強化された。実質的には①財政均衡をはかる規則を定める②監督機能を強化する③危機に際しては財務移転が自動的に行えるように定める

第２　金融危機に対するより有効な手段を取る

　ヨーロッパ安定協定の条項に従い危機に陥った国は保証か惜入の形態で他の国から援助を得ることが出来るようにする。もっとも基本的に金融の信頼の損失というリスクに対しＢＣＥは最重要な役割を担う。短期的にはともかくとして長期的には財政の統一という信頼ある形を創造するであろう。

第３　産業の競争力の増加

　従来、物価と賃金水準を国際競争力のあるものにするという観点でのユーロ圏内の国の間で協議が不充分であった。雇用については企業レベルまで権限分散を行い競争力の強化を目標に労働市場の改革を図る。

第４　ユーロ圏内での財務保証

　弱体化した公的財政当局と民間銀行が騙し合うような悪しき循環を断ち

切る。新たな経済的不均衡を予知できるようにユーロ圏のレベルで経済政策を共同で練り上げるシステムを作り上げる。金融の規則を共通化しユーロ圏レベルでの行政権限を創造する。以上は最近時までＥＵ内で議論され逐一実行に移されてきた原則的な方策である。

5　欧州金融・経済危機の影響と最近時の見通し

　冒頭に述べたように、我が国におけるこの問題に関する論調はほとんど言わば悲観論で覆われているといえよう。またその影響については、ヨーロッパ諸国だけでなく、日本を含むアジア地域、世界全体に景気低迷、金融不安などの悪影響を与えていると論じているものが多い。事実、ヨーロッパの不況から来る輸入減は即、中国の輸出低下を招き、そのため中国への輸出に依存している日本、他のアジア諸国も不況に陥っていると説明されている。

　ある地域に観られる危機、深刻な問題が国際市場に与える影響は広範に及びその各国、各地域間の関係も一律に論じきれない性質のものである。しかし、ユーロ圏を形成する経済圏の世界経済に占める位置は半世紀に亘って重要なものであり、国際的な方向付けには常に主導的な役割を果たしてきたことを鑑みると現在まで継続したＥＵの財政金融経済的危機はユーロ圏が受けた大打撃でありＥＵ発足以来の最大の危機と言っても誇張ではない。ただ一足飛びに結論に言及する必要があるならば、ユーロ圏から脱出する国が発生してもユーロは存続するであろう。60年を掛けて営々と結束を積み上げたＥＵ参加国はしばしば足並みが不揃いになっても、80年前のごとく、各国が近隣窮乏作を用いて自らだけの延命策を取り、果ては戦争という非合理な破滅的な道を取る国は出てこないであろう。

　問題は欧州の危機に影響を受ける他の地域の動向である。この課題について、簡単に筆者の独断をもってしても簡単な展望を記述してみよう。

①米国

　この国は、現在まで継続した不況を回復し均衡した経済運営を行う見通

しを得るにはもっとも難物な対象である。もともと欧州の危機は米国発の金融危機および金融システムの模倣を起点にしていることは論文中に触れた通りである。米国は自らの経済復興が急備の課題であるから、欧州の危機の援助に回る余力がないかもしれない。ただ、米国は実経済の回復が問題であり、金融機関や投資期間の救済が目的ではないことを政府の政策関与者が認識して経済・政治の運営に当たる必要がある。2012年の大統領選では民主党が勝利したのは、国民は最低限、景気回復のために戦時経済を引き起こした観がある。

②新興中進国（ＢＲＩＣｓ）への影響と反応

　国際経済社会の中で重要な位置を占めるようになった中進国への危機の影響をみるとＥＵはヨーロッパ先進国の連合体であるから、この地域の経済的不安定化は不可避的に国際経済に波及した。新興中進国（ＢＲＩＣｓ）に対してはどうかという設問を置いてみるとこれは明瞭には判明しない性格がある。ユーロ危機に関する英国、米国の評論家はＢＲＩＣｓは論じても、ユーロの危機の影響という観点で論議した形跡を明瞭に示した著書は自分の知る限りでは乏しい。⁽⁵⁾従ってこの設問については筆者の独断によって若干の評を述べるにとどめる。新興中進国（ＢＲＩＣｓ）は勿論この数年で国際社会の中にその存在の重要度を増した国でありG20という新しい国際的対話集団のなかでもＧ８に次いでその動向が注視される存在である。また今日までの国際問題が先進国だけで左右されてきたという反発もありすでに彼等５ヶ国だけ（中国、インド、ロシア、ブラジル、南アフリカ）での話し合いの場を作っている。しかし、これらを客観的にながめ

（5）デイヴィド・マーシユ著『ユーロ』（田村勝省訳、一灯出版、2011年）、ブレタン・ブラウン著『ユーロの崩壊』（田村勝省訳、一灯者、2012年）、三橋貴明著『ユーロ崩壊』（彩図社、2012年）

（6）BRICs に関しては以下の資料がある。Foreign Affaires では四ヶ国として南アを省いているが、BRICs の Summit 会議としては5ヶ国が参集している。

　　① foreign affaires [Broken BRICs]nob/dec 2012.　② wikiepsedia [2012 BRICs Summit]

ると先進国グループに比して3点大きな差異がみられる。①G5-G8の
グループに比してそのグループとしての対話の期間が短い。つまりグルー
プとしての性格が薄い②これらの国の通貨は国際市場で取り引きされる主
要な通貨の位置を占めていない。③これらの国の位置づけは各種の要因に
よって経済的急成長して中進国の位置を占めるようになったという実状で
あり、利害関係、地理的要因、政治的要因または歴史的要因などで集団化
したものではない。等の点が抽出できる。

　そして、とりわけ第2の要因は国際的な通貨の危機に対して自らが直接
的な協力行動をとる、その利害関係は複雑ではあるが競合の面を指摘する
ことは可能であろう。日本への影響は直接・間接的にマイナスであり、一
刻も早くEUが危機を脱してほしいのが真の姿であろう。

　新興国のうち中国は実経済の面でまず大幅にEU向けの輸出減となる影
響を受けていることは先述のとおりであり、スペイン国債やポルトガル国
債を購入する協力姿勢を取ったり或いは逆にギリシャがユーロ圏から脱落
する前提で対EU政策を考えるとか複雑な反応をしめしている。外貨準
備にしめるユーロの比率もそれほど大きくはないから為替相場は問題ない
が、不況の継続はやはり中国にとって痛手となるであろう。

　ブラジルやオーストラリアは自国の通貨に直接影響がない限りそれほど
痛手ではないであろうが、ブラジルの輸出市場としてはEUの比重は相当
のものであり実経済でのマイナスは否めない。インドも同じ立場とである
と見做される。別の切り口で彼等が問題にするのはドル基軸通貨の現在ま
での制度を如何に運用するか、また改善するかにある。

　現在までは国際金融市場におけるその量の絶対的なサイズや既に世界中
の国が保有している量などおよび慣性の法則から、ドル体制を一挙に改変
することは為しえないであろう。しかし、中国は貿易を自国通貨【元】で
行う比率を上げているとか、基軸通貨をSDRにせよと主張するなど米ド

march 2012.③Eurostat [the European Union and the BRICs countris.④EU commission [EU
and BRICs: Challenges and opportunities for European competitiveness and cooperation] in
2012.⑤ European Parliament [the role of BRICs in the developing world] in 2012.

ル基軸を必ずしも歓迎しない。これは米ドル絶対遵守の日本の通貨政策な
どとは大いに異なる。その場合、仲間として協力関係を保ちたいのはＥＵ
グループであろうから、ＥＵが危機から脱出するのを望む方針を堅持する
であろう。

　国際的な動向としてはＩＭＦでの中進国への出資割当を増やし発言力の
増大を認めるなどの改変が行われたが、まだまだ米国の比重が高いのでＥ
Ｕ支援について中進国の発言に依って事態が収拾されるような状況にはな
らないであろう。ＥＵ危機のなかでギリシャへの援助融資にＩＭＦが融資
を継続しないとの発言が報じられるなど現在まで険しい状況がある。しか
し、終局においては各国は妥協と協調の方向へ向かい危機からは脱出でき
るのであろう。

　ＢＲＩＣｓへの対応またはその存在意義の捉え方という視点では欧州、
ＥＵと米国、アングロサクソングループでは極めてデリケートな差異があ
るように見受けられる。即ちＥＵは多くの論評、研究でＢＲＩＣｓの存在
意義を強調しているが、米国はＢＲＩＣｓは既に崩壊したと論じている事
例などから、これは観察できる。新しい国際秩序における勢力図からこの
ように理解しても大きな脱線にはならないであろう。

③アジア地域
　この地域での枠組みはＡＳＥＡＮ＋３（中国、日本、韓国）が機能する
のが期待されるが、実態は中国とＡＳＥＡＮ10ヶ国または日本とＡＳＥ
ＡＮ10ヶ国という動きかたをしてきている。つまり枠組みを作りながら
それを活用して次のステップへ進むという共同の行動を政治的な要因で取
れないまま推移している。ユーロ圏の不況と財政危機は当然アジア地域に
実経済の輸出不振を生じる事として影響を与え続けてきたが、今後も相当
期間は同じ状態が続くのではないか。アジアは今世紀の経済の主な担い手
とする説または期待は多くみられる。枠組みとしてもＡＳＥＡＮ＋３に加
えてＡＳＥＡＮ＋６（上記３カ国＋ニュージーランド、オーストラリア、
インド）の活動も近時、顕在化、活発化することになった。ここではＥＵ

に類似した制度造りよりも経済的交流の緊密化を歌い上げており現実的には好ましい方向である。

　アジアの動きの中には積極的にＥＵの危機への援助を行う意思は見られないが、ＥＵを見放す行動や発言は見られない。

④ユーロ圏以外のＥＵ加盟国
　ＥＵ加盟国にはユーロに参画することを希望していた国は旧東欧や中欧などに多くあったがこのユーロの危機に際して見送りの姿勢に変えている。加えて実経済でも不況の影響を受け、多くの国が経常収支悪化などに苦しんでいる。時間の問題でありユーロ圏の国々が回復すれば、プラスの影響に変化するであろう。

　上述したように、財政危機、金融危機、経済不況は三つ巴のごとく同時に並列して生じる場合もあり、相互にそれが原因となり結果となって連関し経済状況を悪化させる場合が極めて多い。ＥＵでは共通通貨を用いているため圏内の他のメンバーに伝播する速度も速い。この危機から回復するにはＩＭＦなど国際機関との協調も必要であるが、根本的にはこの圏内で加盟国の相互扶助的協力によって自前で回復するしかない。また今日のように国境を越えて金融が自由自在に動く時代には国際市場はある地域で発生したこの危機の影響を程度の差はあっても全員が受けることは免れ得ないといえる。ただ半世紀に亘って経済的な実状をリトレイスすると欧州地域は急激な成長はしないが、経済成長が下降に至っても無制限にどん底までは下落しない。つまり老熟した経済・社会構造の国々である。その事実を勘案するとＥＵの現状は決して楽観を許さないが、またドラスチックに悲観論を並べ立てるのも当を得たものとは言えないであろう。ヨーロッパは必ず何かはやる。そしてこのユーロ出発以来最大の危機ともいえる現在の状況から脱皮するであろう。

主な参考資料
資料1　Problèmes éconmiques no 3045 2012 6 6《Crise de l' EURo Regards Extérieurs 》（ユー

ロの危機、外部からの視点）特集号

資料2　Problèmes économiques no 3001 2010 9 1《l' Europe aprés la crise Grecque》（ギリシャ危機の後ノヨーロッパ）特集号

資料3　山下英次「国際通貨システムの体制転換」東洋経済新報社、2010 年

資料4　奥田宏司「現代国際通貨体制」日本経済評社、2012 年

資料5　今井正幸・森彰夫『オルタナティブ　国際政治経済学』彩流社、2010 年「第2部第3章　地域政治・経済・金融統合（ＥＵとアジア）」

2 —— ODA 関連論評

1　無償援助への批判に関する考察

　ODAの質的改善の内外のすう勢に伴って有償協力の条件緩和と並んで無償援助の増大が至上命令のようになり、実績も予算も事実増え続けている。

　ところでODAに対する内外の批判の声はその出発点から今日に至るまで後をたたない。

　就中、最近無償援助のあり方や実例についての批判・攻撃が雑誌・新聞などに極めて顕著になっているように思われる。

　最初に断っておきたいのは批判論が全て好ましくないというつもりはないということである。自由な、時には身勝手な意見や報道でも、それが刺激となり、開発援助のあり方を考える動機となるならばそれだけでも意義がある。又、援助制度についても現状肯定論を主張したい訳ではない。ただ現実直視を基本的な姿勢にしたいと思っているのである。

　無償協力に限らずODAの批判に10年以上接していて、第一に気付くことは余りにも事実誤認が多いということである。数字・定義・事実関係・制度・当事者・因果関係等々これほど間違ったものを報道するのかと疑うことがある。第二に制度や失敗例の批判だけに終始し、対策案というべきものが殆ど見当たらないということである。あっても理念論のようなものに終わっているようである。第三に理想論というより現実無視の論評を展開する批判論が多いということである。つまり読者を「援助懐疑論」に誘導するような類のものが実に多い。もちろん例外的な論文もあるが、総じて上述の傾向をもっているものが多いということである。理由は様々であろうが、批判者自身の勉強不足も大きな要因であろうと思われる。

　これら全体的な傾向について雑感を記してみたい。

　事実関係や制度の説明に誤謬の多い謂わばセンセーショナルな記事は読

む途中で馬鹿馬鹿しくなる場合もある。ただ、日本的な土壌として関係者が反論や実証をしないで放置しておくという習慣は依然として続いているようである。

制度論として、本題にとりあげた無償援助そのうちプロジェクト無償は確かに現行制度に無理があることは多くの有識者には解っていることであろう。単年度予算主義による適用の難しさ、E／N以後直接業者契約など、出発点から内蔵していた運用上の無理が案件の拡大・増加に伴って顕在化してきたのである。これについては有識者・実務者で慎重に検討し改善する必要があろう。但し、諸批判論における他の援助国の制度の礼賛には相当の誤謬が多いと思われる。

次に理念論ともいうべき意見についてであるが、その中には①対象国の国民の末端に直接寄与する援助をすべきである②被援助国は善であり、援助国は悪である（日本は自国のためだけに援助を行っている）③民間主導（型）の援助案件はやめるべきである、といった論調のものが多い。

そこで「基本的に無償援助を含めて全ての国際間の援助行為は相互のニーズの上に成り立っている」という筆者の観点から、上述の理念論について考えてみたい。

相手国の国民の草の根に浸透する援助とは人道的見地から理想的かもしれない。しかし、援助が国対国の公的ベースで行われるものである現実を無視して議論されるのは問題である。相手国において勝手に国民の意識調査は出来ないし、たとえ地域開発プロジェクトの一環としてそれが出来たとしても相手国が案件として取り上げなければ、現実には援助に結びつけることは出来ないのである。

「援助がタイのためになされているのか、それとも日本のために行われているのか」とタイ国内でアンケートを取ったら、前者が29％、後者が68％になったという記事がある。この場合「両国のために行われているのか」という項目があったとすれば、この数字は大分違うものになったのではないか。「相手の利益だけになる行為を一方が継続するはずはない」と援助についてアラブ人は言い切る。それは正に事実である。ただ、経済的

強者と弱者の差が存在する限り、弱者が受容し易く諸条件を緩和すること
は必要であり、単純ではあるがこの論理を明快に表明しなければならない。

　民間ベースで相手国の開発のニーズを探し出し、案件形成をし、公的ベー
スに乗せるという図式は運用に多くの問題があったことも確かであろう。
しかし、民間による援助案件形成を排除したならば、いったい誰がすべて
の援助案件を形成し、実施するのであろうか。

　「相互のニーズ」という基本的な事実を無視し、民間ベースの案件形成
に代わる具体案をも提示しないのならば、多くの理念論は、空論に帰すの
ではないだろうか。

2　ODA批判に対する論評（Ⅰ）——開発コンサルタントの誤解

　表題についてシリーズの形態でまとめていきたいと思いながらも心なら
ず中断してしまった。

　畏敬する大先輩に当たる笹沼充弘氏が同表題に関して一冊のまとまった
ものを出版され、網羅的にODA批判への反論の論陣を張っておられる。
そこで、私なりに日頃感じていたことを雑感として記してみる。

　先ずODAの裡におけるコンサルントの役割や処遇に関する批判であ
る。教科書的な解説では日本のコンサルタントはODAの裡にあって開発
プロジェクトの発掘から実施、完成及びそれ以降の維持・管理と訓練にま
で携わる。処遇は大旨適当といわれている反面、ジャーナリスティックな
批判では開発プロジェクトの形成に絡んで相当の裏面工作の役割を持つと
か、給料（実際はレミュネレーション額）を大統領以上取って途上国から
搾取しているといった類のものまである。

　日本のコンサルタント業がその発生源で官庁の行う公共事業の設計を受
け持たされたことから、現在に至るまでODAの保護の下に開発事業に携
わってきたのは事実であり、縦割り行政の余波として横の広がりに欠け、
総合的開発計画の力量に遜色があること、業界全体に中小企業的性格があ

ることなどを考慮すると大型プロジェクトの形成に直接影響力を持ったとは考えにくい。またレミュネレーション額とは売上高であり、これを給与と混同するなどは事実誤認も甚だしい。これらの雑多な批判をそのまま放置しておけばよいというものではない。すべからく業界として反論しておくべき筋合いのものと思われる。

次にきわめて目立った批判に「環境破壊を招く開発援助」がある。具体例は数多くあるが、ケース・バイ・ケースで因果関係の論証はきわめて困難である。現今ではすべての開発プロジェクトに環境の視点からの考察を加えるべしとなってきている。環境破壊の論証が難しいのは因果関係が明瞭なある種の公害問題などを除けば、環境破壊はその本質において予見することが大変難しいことに起因する。従って常に環境の視点を折り込んで開発プロジェクトを見ていくことは正しい方向と思われる。現在開発プロジェクトでの環境の取り組み方は自然環境も社会環境も併せて一人のエキスパートに検討させたり、または一案件に少数M／Mでプラスアルファーのごとくエキスパートを付属させたりしているのが実状であろう。途上国側の要請が必ずしも環境を重要視したものではないから、このような結果になると説明されているが、早急に検討と改善の必要があろう。他方、ひとたび開発プロジェクトが環境破壊を招致すれば対応策がないと極めつける批判は如何なものであろうか。長期にわたる自然破壊のようなものを除き、人為的に可能な対処法は必ずあるはずである。対応の議論を省いて悪と極めつける批判論が多いのに気付かされる。

最後に不要の援助、効果なしの援助案件との批判もフィリピン・レイテ島の海員養成学校、エジプトのオペラ座など多くの具体例が採り上げられている。各々様々な要因で批判を招く結果となっており、計画や案件採択の過程で問題なしとは言えなかった実状があるのであろう。しかし、常々思われるのはこれらの批判論には長い目で効果を考えるという配慮が全くといってよいほど見受けられない。社会的インフラは当初は無用の長物として映るものの、後には有益と認められるものが多くある。また効果なき援助と批判するだけでなく、事後的にでも効果を増大させる事業を付与す

エジプトの現場に立つ著者（1994 年 12 月）

ることが大事であろう。例えば上述の海員養成学校の場合、海員雇用施設
の追加とか、オペラ座の場合はお祭り騒ぎではなく長期的な文化無償を付
与するとか何等かの効果促進手段を提言し、実施に移すという方向が取れ
ないものであろうか。ＯＤＡ批判論にはマイナス思考が目立つが、プラス
思考に移行することが肝要であると思われる。

3　ＯＤＡ批判に対する論評（Ⅱ）——無償援助批判への批判

　援助の質的向上の至上命令に呼応して、有償援助条件の緩和とあいまっ
て、無償援助を急速に伸長させた時期が 80 年代の初めから 10 年以上にわ
たって続いてきた。
　これにたいする批判は相当多い。ＯＤＡ批判論の題材としい、①事実誤
認、②理念論を実際的方法に適用する誤り、③一方的利益論の誤りを指摘

し、さらには①コンサルタントの役割への誤解、②環境破壊の主原因になったのはODAだというような断定の誤り、③不要の援助案件という批判のネガティブ思考は矯正すべきであるなどを二回にわたって記述してきた。

　本稿では①ビジネスとODA、②制度上の難点、③効果測定への無責任な批判を無償援助案件に焦点を当てて考察してみたい。

　実のところODAとはいわば巨像のごとき存在であり、「盲人に判断させるとその触れたところによって印象が全く異なってしまう」という本質を持っているといっても過言ではないと思われる。ある機構、組織に属してODAにタッチしてきた者は不可避的にその組織の属性に従い、その組織のODAに対する目的によって対象を見るようになるのであろう。あらゆる立場が取れる論者はあり得ないので、これから述べることは一つの立場からであるとご了解願いたい。

　まず、ODAとビジネスの交替点である。すでに数え切れないほど「ODAがビジネス化するのは悪である」という論調に出会わしている。他方、一流商社マンに意見を求めると「ODAはビジネスのための制度である」と本音で言い切る。しかし、「それは困る」と筆者が反論する。ODAはそれ自体が目的を持つ制度である。そして個別のODAの底辺には必ずビジネス、すなわち相互のニーズが存在する。この事実を否定すると理解が歪む。「ODAでビジネスをして何が悪い」というようなことではなく、ODAのベースには双方の必要が存在するという事実があり、またこの事実は無償援助の場合は極めて強い動機となっていたと理解すれば良いのである。その事実と無償援助の制度がいくつかの理念や方向づけを持っているという理解は何ら矛盾するものではない。「無償であるから受益国だけが利益を享受している」という極論を持して相手国に接すれば押しつけ援助になってぎくしゃくするのであろう。

　次に制度上の問題は余りに多く、加えて最適な制度、運用の案を今すぐには提出できない。単年度予算主義、資金の管理、一般無償とプロ技協の接点、相手国のローカル予算の確保等々、運用上改良すべき点はいくつもある。しかし「問題が多いから無償援助は成功しなかった」というような

論調には加担したくない。

　単年度主義の一つを取ってみると、スケジュール的に元来単年度では無理な条件をも単年度に収めることを要求し、年度末には仮の形ででも支払済にする必要を生じる。相手側の実施機関、実施省庁は政府から必ずしも無償で資金を享受しているのではなく、国からの予算配分の形をとつている場合もある（例：インド）。大型案件については国庫債務負担行為の適用もあるが、個別案件についてもこの制度の弾力的運用の改善が必要であろう。要は先述した相互のニーズの理解を基に制度と運用を考えれば国内の障害も解決策が見つかるのでないかということである。

　紙面の都合により、③効果測定への無責任な批判は次稿に廻す。

4　ＯＤＡ批判に対する批判（Ⅲ）——無償援助批判への論評

　前回の続きになる「③効果測定への無責任な批判」について要点を記述する。サブタイトルの通り有償案件については評価の経験も長く方法論も多岐に亘るので本稿では割愛し、一般無償案件に絞る。

　先ず、事後評価（効果測定）の方法論上の不確定要素を知る必要がある。案件の適否を議論する前に無償案件の評価方法を確定することの本質的制約を考えると、大別して④時間的⑤評価基準（クライテリア）⑥受益者（誰の視点に立った評価か）といった要素がある。これらを無視して批判を無責任に展開している事例が見られる。

　④時間的にとは事業が完了した時点を一応の目安として評価を行うとしても「無償案件は経済性が乏しい社会インフラを対象とする」という定式を前提とすると、この効果が完成時又は五年後なら顕在化するとは言い切れない。例えば、贅沢であると酷評されたエジプトへのオペラハウスも七～八年後から一般庶民の楽しみの場になっている。

　⑤評価基準は有償の場合には経済性の計量化の手法が長年月採択されているが、無償には案件の形成時においても計量化は行わない。収益性のな

いこと、社会的寄与、象徴性などが形成時に議論されるが、完成後の事後評価基準は客観的に一律化したものは確定し難い。従って、無数の援助批判はその基準がまちまちであり、首肯するにも拠り所は様々である。

　ⓒ誰が受益者になったかという視点も重要な要素である。「事業実施者にプラスした」という判断だけでは事業の事後評価になっていないと批判されるであろう。完成後の運営、維持・管理に難点があり効果が発現しなかった（例：レイテ島の海員養成学校）場合もあるだろう。ＢＨＮを目標として草の根レベル（グラス・ルーツ）を受益者にしたという場合、その効果を実証する方法はまだ検討されたとは聞いていない。

　国庫債務負担行為（国債）を導入して案件の大型化が進み、80年代半ばまで有償の対象であった分野まで無償で対応してきている実状からも案件形成時のクライテリアと事後評価についても経験の集積を検討して評価基準のコンセンサスを得ることが早急に望まれる。さもないと、まちまちの視点の援助批判が続出して混乱するであろう。

　提案したい方法の一つは「受益国側の専門家又はグループにも事後評価の機会を与えてはどうか」という案である。別に公開を原則としなくてもよいし日本側の専門家を加えてもよい。受益国が評価を行ってもそれほど的はずれの結果になるとは筆者には思えない。

　優れた事後評価でも「お手盛りである」という印象が免れないこともある。この場合も費用の問題があり、grant in kind の方法に終始して grant in cash をなかなか導入、実施しなかった日本側の制度の制約がある。この課題は援助の制度論でも余り議論されなかった本質的問題にも拘わっている。

　効果測定にはプラスとマイナスの効果という概念がある。プラスだけに評価が偏重するのはマイナスの経験のフィード・バックや補完の手段を講じることを怠ることであるから好ましくない。しかし、マイナス効果だけを誇大化するのは客観性を欠くものといえる。無償案件は有償に比して採択のクライテリアが未だ確定している度合いが低いので、上述した効果測定の本質的困難に加えて、評価では多くの要素について考慮する必要があ

ると思われる。

5　ＯＤＡ批判論を考える（Ⅳ）

総合的考察

　表題について思いをめぐらせている間に、不可避的にＯＤＡ批判書と名付ける著書に相当数多く接してきた。昨今は、新聞の論調もＯＤＡの曲がり角、量より質への様な表題が目立ち、政府首脳の発言も批判的トーンになっている。また、援助庁（省）設立の声も新聞の社説などで再燃するかの様である

　90年代に入って目立って批判論が増加したのは、80年代初めから後半にかけ更に90年代に入って、ただひたすらに量的拡大を計って自賛するかの如き風潮に対する反動の様相もなきにしもあらずと感じていた。本稿ではＯＤＡへの批判論、反批判論の総合的考察としてそのはしりを試みてみよう。

　批判の個別アイテムは別稿にゆずるとして、圧倒的に多い批判論調はＯＤＡ案件の失敗例、環境破壊例（住民の移住問題を含む）などを列挙して「ノーモアＯＤＡ」の型を取るもの、企業の利潤追求だけでＯＤＡが成り立っているとするものが多い。前者は鷲見教授、後者は村井教授が代表的論者であることは周知されている。

　反対に、ＯＤＡの言わば成功例を挙げて、反批判を試みるもの、または国際政治的な国益の視点から擁護もしくは正当化するものがあり、前者には笹沼氏の著書があり、後者は草野教授が著名である。または、双方とも水掛け論になるからマクロ経済の視点で効果を見ようとする論、いや、マクロ経済で成長が得られても貧困層は受益者でなく被害者であったとなす論など、百家争鳴ではなく百花繚乱として初めてＯＤＡを学ぼうとする学徒などには戸惑いか混乱を覚える課題になっている。

　批判論を丹念に読んで感じるのは、至極、当たり前のことではあるが、

批判論とその研究者の殆ど全てがＯＤＡの制度下で実際の作業の経験のない人、現場を見たと言っても２～３週間か１～２ヶ月の視察によって判断している感がある。誤解をさけるため付言するが、筆者は経験主義の如きを振りかざして、未経験者は批判を行うべきでないという風な偏見はないつもりである。

　論評はそれだけで価値があり、開発戦略などは精緻に練り上げる程、政策として重きをなすものであろう。

　ただＯＤＡの制度下で行われる事業は、国際間の利害を調整する政策、国内の産業機構、途上国の現場で汗と涙と時には血で補ってきた人間や集団の作業など全て、極めて現実的、実際的な事象ばかりである。事実に照らして見る限り、そこには抽象論の入る余地はないと言っても過言ではないだろう。

　その視点で批判論を見ると「あるべき論」が多く、何故そうなるのか、具体的な是正策は何かという評論は乏しく、時には唐突な、又は異様な解説になっている場合が多くある。

　次に、上述の事柄と裏腹の関係なのであるが、取り上げた諸問題は何等、昨日今日に突然発生した問題ではないという事である。制度として援助庁を設立せよ。或いは環境破壊の問題、企業の利潤追求型など、いずれも何十年の歴史がある問題である。

　従ってＯＤＡの現在と将来を論じるには、何故批判の対象になる問題が生じたのか又はどの様に改善すべきかと解明して具体的な是正策を提示しないと一般に読者には兎に角も、ＯＤＡに少しでも関係した人々に対しては説得力が乏しいのではなかろうか。

　必ずしもＯＤＡ批判論は最近の、90年代の産物ではないしまた筆者は、何故欧米の批判論者がアプリオリィに優れていると称揚する意図もない。しかし、70年代初めのチボール・メンデや、90年代のバウワーの批判論に接すると何度も自ら援助の懐疑論の淵に沈みかけたことを記憶している。前者の「再植民化のための援助」（De l'aid à la recolonalisation）は序文を書かれた恩師の教授が極左派と注釈を付された様にイデオロギーとして

資本主義社会が途上国に接する根本的欠陥、矛盾を論破している。それに対して自分が数年間、殆ど格闘した様な感じを記憶している。現代の日本で著名なＯＤＡ批判の評論者には、確固としたイデオロギーの基盤を見出し難いと記述すると、自分の読みの浅さを披瀝することになるのか、或いは僭越なりと叱責されるであろうか。

6　援助批判の総合的考察　（講義録）

　名古屋の日本福祉大学経済学部で、紹介がありましたように講義とゼミを行っております。ＳＲＩＤは出来て一年半後ドクター号を授与された直後ですが、パリから帰ってきまして、入会し今日に至っています。学生部の方の活発な活動に大いに期待しております。質疑応答は歓迎いたしますので、活発な議論をしてください。今日のタイトルは非常にこのところポピュラーなＯＤＡ批判を総合的に考えてみようという課題で、少し異色な話題になるかもしれませんが、フリーにやってみたいと思います。冒頭に、誤解のないように申し上げたいのは、政府援助、事実わたしは役所の中でやってきたのですが、その弁護者だとか、擁護者だとか言う意味は全くありません。逆にＯＤＡとか言うものをどんどん批判するという立場でもなく、最大限白紙の状態で話を提供したい。ただ、言えることは何故これだけ沢山議論が出るのかというと、ＯＤＡと言うのは、象と盲人の逸話というのはご存知ですか。盲人に象を触らせたら、いろんな胴体に触ったり、鼻に触ったり、尻尾に触ったりして、象というのは壁みたいなものだとか、足を触って象とは円柱のようなものだとか、皆、見方が違う。私は国民が眼が不自由だとは言いませんが、色んな人が商社にいたり、外務省にいたり、実行機関のＪＩＣＡにいたりして、そういう立場で物を言っているとだんだん全体像が解らなくなってしまうという、難点というか本質的な問題があるだろうと思って見ております。どうですか。

　まず、冒頭に定義します。政府開発援助、ＯＤＡというのは、国際間

の約束によって約50年ずっと実施してきている、公のこれは制度である。そうすると、民間主導のODAとかはちょっと発想としておかしい。だが、これもまた誤解を生じてはならないのですが、その制度の中、及びその制度の関連した中で行うのはほぼ90％、民間の事業者である。それで、その総合体の中でODAはどうのこうのと言っているのだと、まず理解してください。その前提がないと、私の話は崩れてしまう。特にODAの役所で担当している方の紹介や説明をしている人は、その制度だけ説明をしているのですね。それでは全体の姿がみえないと思います。

批判論、肯定論、批判に対する批判

　実は政府援助という批判というものは相当古くからあるにはあったのですね。ですが、例えばSRIDで名古屋の飯田先生は70年にインドネシアに専門家で行かれて、『援助する国、される国』という本の中で、自分が実際に専門家で現地で働いてみると、いろいろ不便があったし、矛盾があったと書いておられる。本格的な批判ではないですが、そうするとSRIDの創始者ともいうべき、大来先生に、あなたは援助の懐疑論に陥っているのではないかと言われました。さて、援助の懐疑論という言葉を覚えておいてください。

　80年の初めにジャーナリストが同じようなタイトルでタイの状態を書いている、この辺りが今日90年代に入りODA批判がいろいろ出てきているオリジンのように思われます。総合的に見ますと、誰が何を言っているのか分かるものもありますが、いつ頃誰が言ったからそうなったのか解らないものも相当あります。総合的に私はキャッチして整理してみました。

　批判論の大宗は開発の案件開発の失敗例、反社会性、それから現象的にうまくいっている、あるいはいっていない、こういう風なものを取り上げるないしは、週刊誌的というか、暴露的に取り上げてセンセイショナルに報告しているものも相当数ある。やはり私はODAの仕事に携わっていましたから、週刊誌などを含めてずっと見ていますと、事実に忠実でないものが余りにも多い世界だと。一つは、公共性のある事業なのですが、日本

の国内の作業ではないですから、情報などをエスカレートしたということ
だろうと思います。しかし、その時点では少々無責任であっても、それが
動機になって反省だとか改良だとかにつながれば、それなりに意義がある
と考え、今もそう思っています。だが、一応情報ですから正確なものがほ
しい。この批判論の大きな流れはそうです。

　今度は肯定論の方は、相当な数の成功しているというものをずっと列挙
して、ＯＤＡ案件というのは非常にうまくいっているという、紹介の仕方
があります。それから、80年代、10年間ずっと通して量がどんどん伸び
ている、だからこれはすばらしい、これは成功しているというＰＲはあり
ました。その時点で私は、その世界にいましたが、量的増大は成功でも何
でもないという批判の目は持っていたつもりです。これは拡大しなくては
ならないという正当論として、外交的に必要である、ＰＫＯとの兼ね合い、
という正当化する論調が多い。しかし批判論に比べれば、その声は小さい
というか、あまり世の中にアピールしないので、どちらかといえば低調だ
と思います。

　批判に対して批判、一種の肯定論なのですが、これは成功例を引っ張っ
てきて、自我礼賛しているペーパーもあります。この成功例、失敗例とい
う事例で言いますと、すぐ後に出てきます、鷲見先生が大変激しい論調を
あげて、外務省はそんなこと言われても今まで九割は成功しています、冗
談でないという議論があります。ちょっと皆さん考えてください。何をもっ
て成功というのか、何をもって失敗というのか、はっきりしないのですね。
漠然とその案件のパフォーマンスが良くて相手の国に非常に評価されたと
いうのが成功といっていると推察すると、私が17〜18年の間見てきてい
る限り、日本勢が加わったＯＤＡの案件のパフォーマンスは非常に良好で
す。いや、ペルーでぶん投げた案件がある。ゲリラが起きてＪＩＣＡの専
門家が殺されてしまった、手を引いたというのが入っていましたから、1
件1件取り上げていきますと、そういうものがありますが、全体として非
常に良好です。それは、日本の民間企業というのが海外に進出していく過
程で、会社のためであれ、自分のプロ意識であれ、熱心に仕事をしてきた

ということの証だと思います。これは制度が立派だったと言うよりも、事業のパフォーマンスは立派だったと言う方が事実だと思います。

中立的

　これは、埼玉大の下村先生が、これは成功例である、これは失敗例であると突っ張ったってあんまり意味がない、平行線だ。だから、マクロ経済で成長したかどうかを見ましょうと言っています。これは正論ですが、しかし、批判論の方にマクロでＧＮＰは伸びだか、貧困層は増えたと言うような議論になっているので、十分な説明にはならないと思います。

　批判論の反社会的というものの中で、一番多いものは環境を破壊したと、これは鷲見先生ですが。また住民の移転、これは人権問題で捉えるのか環境問題で採り上げるのかどちらでも可能ですが、環境破壊という指摘が最も多い。ですが、これはＯＤＡがというよりも、開発事業は、先進国の環境の問題はという別の視点で捉えて対応をしないと、その時その時の局部的な議論になるのではないでしょうか。ただＯＤＡで取り上げてやっていく場合は、疑い深いときはやらない、安心できるまでは着手しないというのが原則です。では実例を引用しながら見ていきます。

　まとめてみると、沢山ありますが90年までは、円借款が多かったので、円借款の批判を見ますと、事業が失敗している、悪影響がある、利害の対立がある、という大きな項目です。

　失敗例：不適切である、環境破壊だ、輸出振興に用いられている、日本企業に資金が環流している、利権体質がある。それから内容や条件として、理念がない、条件や質が劣る、贈与の比率が低い。制度については、縦割りの沢山の省庁があり解りにくい、意志決定が遅い、という問題が多いです。ですから、批判論者はやむを得ないのですが、その世界に入っていないので、何故そうなつてきているのか、しっかりは見てはおられないだろうと思われます。それから対象を変化させろ、今迄はインフラ、特に経済インフラ中心でけしからんと。大型案件ばかり行っていて、貧困層に届いていない、だから草の根援助を行え。貧困緩和に合致していなくて、ＯＤＡを行うこ

とによって、むしろ貧困層がずっと増えた、というような論調がたくさんある。後半の当たりは鷲見さんと並んで、村井先生というのが、日本のODAの検証というような、相当激しい論調の物を書いておられる。実際にどうでしょうかといのを1、2件、相当話題になったものを古いものを含めて集めてみました。実際に失敗例などがあるのでそれを取り上げます。

　フィリピンの国鉄、これは良くない。その理由は、独裁者マルコスさんの夫人が自分でバス会社を経営していた。バス会社の利益のために何回も案件をバツにしたという背景があります。だから、ODAを受けても、これはゼロではないですが、期待したほど良い運営が出来なかった。地下鉄そのものは非常に延長して農村に帰る便利ができたプラスがある。しかし、期待したほど益を挙げなかったのはバスを優先したという大きな理由がある。

　インドネシアのボロブドール、これも良く取り上げられます。文化の援助に対して村井先生などは色々なことを言っておられますが、実際は批判されているほど悪い面はない。住民は別にそれに対して不満を持っていない。これは、インドネシアにずっと駐在している人間が言っているように、その方が真実です。この手の案件は、地域の住民に利益がないという批判はどうでしょうか。このために、観光客が増えれば地域の住民は潤うので、そういう見方というのは、援助案件を知らないからそう言うのだろうと、私は見ています。

　フィリピンの高圧線、これも朝日新聞に叩かれている。途中で色々あったというと言うことよりも、これは手を入れれば対応できる問題です。私の意見はフィリピンの電力を起こして、それを一回全部マニラに持って行って、それから地方に持って行く、そこに難点があると思います。マルコス事件、これは後半において非常にエスカレートしてきた問題です。つまり相手国が良い統治をしているか、相手国政府に問題があるのに日本はODAを続けるということで、その根拠はアメリカの強い要求によるもので、事実に即してそういうように理解しましょう。これは間違いなく問題があった。ずっと終わった後に日本の偉い人は、問題はあったが、様々な

事業は残っていると言っている。その通りですね。その事業は役に立たないのか、日本フィリピン友好道路に始まって、非常に沢山の事業があり、役には立っているのですが、こういう独裁者がいる場合は実際の費用より非常に高いものについたというのがマイナス点です。

　全部洗っていけませんが、毎日新聞の国際援助ビジネス、これは日本の援助は全部ビジネスであるというような形で取り上げています。これはインドネシアの医療品はODAがというより、日本の医療の業界が非常に怠慢であったという方が側面としては強い。去年の学会で、インドネシアは日本の医療を全然知らないと言いましたが、JICAが向こうに行って、鉄鋼から始まって、電気、鉄道、道路、医療、保健、教育も全て説明するということを前提としてその医者は言うのですね。そうではないと私は思います。日本の今迄その分野が非常に多かったのは、政府と非常に近いかたちで存在しているインフラの事業をやる業界が外側に出ていって事業をやろうという大きな働きがある。相手国もインフラを充実したいという必要がある。国際的にもビジネスではなくて、基本的なインフラに援助するのが良いというコンセンサスがある。そういうものがちゃんと一致してそういう分野が増えてくる。一方的に日本がこれをやりたいと言ったからって、そうなるわけではなく、相手国がこれを欲しいと言っても、他の国が反対すれば、なかなか日本も援助できない。だから三者が一体となって大きな案件は選択され実施されている。それを考えますと、医療が悪いと言っても、それは日本の医療業界が途上国に対して何も関心を持っていなかったということで、実例はあります。

　これは初期の頃ですが、朝日や読売に大見出しでバンバン叩かれまして、私は自分が担当しているのですぐ調べますと、なんか間違いだらけを新聞が書いているのですね。それは、拙速というか、情報が入ったからバーと書きますから、まず60億円がスリランカに、130億円がバングラデシュに、それを全部三菱自動車の車で取ってしまったと書いてある。それは間違いです。そして欠陥車を出して大変相手は迷惑していると。三菱自動車の重要な人に話しを聞いてきますと、ここはやはり日本のミスですね。向こう

がバスを欲しいと言うから、通常のバスを出したと。ところがバングラデシュという国は非常に水浸しの国で、雨が多く河が氾濫する。それに気を付けないで、走らしていたらエンジンが水に浸かり錆びた。それが原因なのですぐに人を派遣してエンジンを30センチぐらい高い位置に付け替えたというところが事実です。だから、一義的に欠陥車を出したという情報をつい人々は信じてしまいますが、そんな話しではない。日本の企業もそんな無茶苦茶なことをやるわけがないのです。何故かというと、自分たちの信用というものを彼等はまず第一に考えていますから、そんな話しではなかった。次にミャンマーのプロジェクト、ずいぶんと話題になるのですが、これは間違いのプロジェクトでした。相手国の出来ないような工業を取り上げて、初めに悪意というものなどはないのですが、「これは出来るだろう」との想定でスタートします。しかし、相手国にそれだけの地盤がなくてうまくいかない。うまくいかないから追加また追加、追加をやっているうちに、この事業はうまく実っていないということです。

　インドのナルマダダム。このように非常に大衆が反対するものは、是か非か議論する前にストップをかけるのが常道だと私は思います。これはまだ何も影響は出ていません。三峡ダム、これもこのところ話題をまいた大水力ダムプロジェクト。環境破壊であるといわれていますが、賛成派と反対派の議論をずっと並べてみますと、これだけ大きなものになりますとどっちが本当なのか双方分からない。ただ中国人の知恵というのは相当なものだと思います。つまり、50年の単位で物を考えてゆっくりゆっくり実施していくと。環境の問題というのは、影響が出てきて気づくのは何年かたってからですね。中国はこの大きなプロジェクトをゆっくりやろうということです。インドの電力案件、これも問題案件です。インド側の実施体制に欠陥があった。これは円借款でありませんが、私が重要な観点だと思っている食糧増産援助（ＫＲ２）は問題だと思っています。

　ざっと見てきましたが、今紹介した中でも、忠実に事実を言っているか、或いは批判の観点もぐっとずれているか、ぴったりした批判が当たっているか、三種三様、様々で難しいです。一般の人が見極めるのはなかなか難

しい問題がある。批判の批判の笹沼さんが挙げておられるのですが、一々反論するのを、網羅されているのですが、整理されていないです。

　問題として私が触れているのは、疑問点として実際こういう批判がある場合になるほどと思うものもありますが、何故か十分でないなという風な疑問点を記録しておきました。要点だけですから、誤解を生じる場合もあり得るかも知れませんがさっと読んでみてください。特に3番の環境破壊は鷲見先生は非常に良く出来ていますが、学生さんの参考文献として学生さんも読まれる、『ＯＤＡの現実』（岩波新書）は、第一は、こういう事業を10年、20年、日本の民間人として熱心に取り組んできた人は、バカバカしくて読めないとぶん投げるか、非情に怒るか、そういう反応が多いということを皆さんに紹介しておきます。どうしてかというと、結果を見てあれはラオスの奥に水力発電を造る必要なんてなかった、住民は立ち退きさせられたと、ずいぶん後になって書いておられるのですが、その時点のことを見たらそんな話ではない。ＯＤＡの事業というものは医者の診断と同じような性格のものがありますから、その時どうだったか、3年後にどうだったか、10年後にどうだったかという問題があり、後から見て言われるのは大変我々は心外だと言って汗と涙としばしば血で、熱心に仕事をやってきた人たちは、怒るか不満です。それは皆さんにストレートに伝えておきます。そういう批判をして目を洗い直すというのは、それはそれで良いのですが、こういう風にファナティックにアジり立てると実際に仕事をした人はそういう反応をします。

　環境の問題は話したら尽きないぐらいあるのですが、私も専門ではないのですが水を中心にアジアの四ヶ国ぐらいを中心に勉強をしましたが、特に日本の中でどういう経験をしてきたのかについて全然触れられていない。これは残念ですね。ある日突然、自分が環境の問題を議論させているのではなくて、ずいぶん長く苦しんだ公害の歴史がある。その苦しんだ努力の結果、今、日本の中の規制も強く、他方企業の方はそのことの努力のために競争力も低下する実状があります。しかし、依然として組織社会のマインドの中に、新潟と富山でイタイイタイ病という環境事件が起こった

ときに、非常に活躍された人と、今で言えばＮＧＯですね、徹夜で議論して、自分が加害者であると同時に被害者であるということが分かってないか、分かっていても止められないという日本の組織という説明をしました。回りくどい説明のように思われますが、最初そこにいって公害が起こる。当初はたいしたことはないと思う。しかし病人がでるとこれはやっぱりおかしいと社員は思うでしょう。だが、会社はそんなことは認めない。それでは関係がないという証拠を集めて来いと言うと、会社に自分たちは忠誠を誓っていますから、懸命に一年間ぐらい調べるのですね。延々裁判は何年続いたか。つい一昨年ぐらいですね、三百数十億円の賠償金で解決がついたのは。そうすると、自分は加害者の方に属していて、且つ自分はそこに住んでいるので間もなく被害者になるであろう。今でも HIVE の薬の事件でもそうです。だが自分の会社にだけ忠誠を誓ってそういう行動をする。会社の利益と社会の利益というものの区別がつかなくなっているというのが日本の社会での最も大きな問題だと思います。そういうところの指導者と言うのは自分のところの利益と公益とが相反する場合は、公益を優先して、自分の利益は抑えるというマインドにならないと、公害の問題、そういう社会問題というのは解決がつかないと言えるでしょう。

　もう一つの環境問題は、昔も今も同じ状況ですが、事件が起きると、結局お金で解決するしかないであろうと、熊本の水俣病が発生したときに、そのときの厚生省の役人が行ったのですが、結局解決がつかない。解決の方法はそれしかない。しかし、海とか川とか空気とかいうものは、所有者が分からない。基本的には住民の所有物なのでしょうが、所有者が分からないものに対して何故私が賠償しなくてはならないのかという議論になる。だから、基本的に言えることは疑わしいことはやってはならない。その時代が来ている、しかし未だにそうで、自分の組織益のことしか考えないからこのような事件が起こる。そのように解釈してください。

別添２

　村井先生がその著書の中でこのような図を造られて、私も非常に感心し

ました。ただあえて皆さんに先入観を持たないように説明したいのは、この
ように日本の援助の省庁があって、実施機関、私は敢えて「予算執行機
関」と呼びます、それからその下に、業界の団体がいて、コンサルタント
がいて商社やメーカーがいてというように書いて、どのように援助案件が
作られて、お金は全部日本の業界に入るような仕組みになっていると言う
ところが村井先生の批判の根元です。円借款について言っているのですが、
この図を見て、このようにしか書けないからこうなったのでしょうが、相
手国政府が一人の人間のように見えます。相手国にも中央で援助案件をセ
レクトする役所があり、その下に関連する役所があり、電力などの公社公
団があるのです。そのことを何かの形で示さないと、あたかも日本の商社
メーカーが、相手の政府の人にそれこそ賄賂を使ったらすぐそれがODA
になるような書き方をされている。それが最初の間違いです。そんな風に、
民間企業が自分の思い通りになんでも出来るような仕組みにはなっていま
せん。

　第二は、このように書くと全部の円借款がこのように行われているよう
に書かれていますが、円借款の実例を紹介していくと、ツーステップロー
ン、教育ローン、構造調整ローン、セクターローンなど相当な数があります。
そういう他のものも全てこの様な構図で行われているかと言うと全然関係
ないのです。そういう印象は持たないで欲しい。ただインフラ案件のOD
Aのプロジェクトはこういう構図で行われてきたことも事実ですから、そ
れはそれで認めます。しかし、村井先生はそれを悪いと言っているのです。
ただ私は、自分が援助にタッチしていなくても、企業は自社のものを買っ
てもらおうとインセンティブが入り、最も熱が入る行動です。ノーマルに
行われれば、良い品物を良い技術、サービスをつけて易く良いものを相手
に必要なときに買ってもらおうとする行動は一番インセンティブのある行
動です。だからそれ自体を非難することはおかしい。

　加えて途上国側は、この事業をやりたいという青写真を作ると、スト
レートに最初から、政府から政府に要求してさっと出来るようにはならな
い。1000件ぐらいやりたくても、その内200件ぐらいセレクトする。そし

て各事業をやる人は、これはフランスが良いか日本が良いかアメリカが良いか、色々なところを呼んで議論をして、じゃあ、どのくらいのスケールにして、どの技術を使うかということを、どんどん議論しないと具体的なものにならない。政府同士の役人が話をして、じゃあマニラの人口はこのくらいですから50万人用の水道にしましょう、何てことにはなりません。当初途上国側が専門のプロの集団にコンタクトをして案件を固めていくのは、それをビジネスと言えば底辺にはビジネスがある。そうですね、実際には民間企業が対価を得て行います。しかし、だから援助ではないというのは現実的ではない。だからと言って、日本の仕組みが良いと言っているわけではない。底辺にビジネスがあってその上に援助案件が成り立っていると言う事実を援助でないと非難するのは現実的はではない。80年代の後半からはODAがエスカレートしてきて制度的におかしくなってきている。その意味では批判者が言っていることも一理あるのです。まず90年に入ってからは三分の一くらいはこの様な仕組みで作られています。

別添3

　ＯＤＡを肯定する、ＯＤＡの批判に対して批判するその人たちにはこういう考え方がある。

　四角で囲んであります。途上国側を軽んじて物を書いているのではないですか、と言うのが一つ。もう一つは国益の手段であるから、あまり露骨にやると評判が悪くなるから時々人道主義とか、環境とかも考えようという風にやっていると言われる。私は批判論者ではないですが、別に私はこの二つしかないなんて思っていないです。そうではなくて、私の10年、20年かけてたどり着いている、というか最初から思っていたのでしょうが、人道的な要素もあります。国威発揚という要素もあります。しかし、根本的には双方にニーズがある、相手側にも、日本側にもニーズがある、まさに90年代になってからは、相手側のニーズより日本側のニーズの方が高い、そのニーズとは何も電力会社が仕事をするということではなくて、本当に日本にこういう形でやってもらうという、お友達になるという、外交の世

界でお友達になるというのはおかしいと思われるかもしれませんが、実は
そうなのです。日本の支持者になって黙っていても日本の主張することを
サポートしてくれる関係を築かないと、非常に危ない。段々孤独になって
きている。そういう観点が必要だと私は思います。

　ＯＤＡからＮＧＯという呼びかけ声が非常に強い。これも基本的な物を
書いているのでは考えましょう。日本のＮＧＯのオリジンはＯＩＳＣＡと
いうものが最初からあるのですが、これは役所が作ったＮＧＯですから。
しかし、欧米に比べて非常に差がついている。彼等は自分たちのノウハウ
を持って途上国に出かけるようになったのが既に 75 年にあります。社会
の中にそういったもの、財があれば社会事業に寄付するというものがあっ
た。日本は財団というものがありますが、そういう、社会の中から富を得
たのだから社会の事業に寄付をして口を出さないという土壌がない。だか
ら、財源がないからなかなか育たない。また市民の意識も低かった。色々
な要素で今、NGO 機運が上昇しようとしているのですが、ＯＤＡが駄目
だからＮＧＯで全部代わりになるというように煽っている論調は気をつけ
てください。そのようなことを言う他の先進国はありません。

　ＯＤＡの役割というものもあり、ＮＧＯの役割というものもあるのです
から、両方あることを理解してください。そしてＯＤＡの方はＮＧＯに理
解を示しているから、取り込もうという動きになってくる。これが一番危
ないです。二年前ぐらいから『ＮＧＯは世界を開く』という本を書いてい
る人がいて、そのようなことを言うと、ＮＧＯの反対論者かと錯覚された
が、そうではない。ＮＧＯをまともに育てるにはどういうことに気をつけ
なくてはならないかということを話したら、このところ 10 ヶ月ぐらい、
またこういうことがあったとどんどん連絡をくれます。一番気をつけなく
てはならないのが、官に従属して官：郵政省や建設省から予算を貰う。そ
の仕組みに入り込んだらＮＧＯがＮＧＯでなくなる。既にもう始まってい
ます。非常に気をつけなくてはならないですね。ＮＧＯは独立してグルー
プを作って、政府の予算はやはり必要ですから、まとめてドンと貰う方向
にしたい。私はＮＧＯの人と知り合いですから、よくそう言うような議論

をします。

質疑応答

Q：マスコミによるＯＤＡ批判が盛んだというお話に関してですが、マスコミがあらぬことを書き立てるということの裏には、援助をしている実施機関側に情報公開の度合いが低いのではないかと思われるのですが、今現在、その情報公開に対してどのようなことに取り組んでいるのですか。

A：援助批判の項目の一つにも挙げていますが、私が結論的に言っていることは、そのために少々支障を来すとしても、情報の公開はすべきだと。有り様によっては私は10年前くらいから言っているのですが、要点、要点で話しを進めていきましょう。ＯＥＣＦの仕事を始めますと、銀行の人などが出向してきて、非常に心ある部長さんや理事さんでは、ここは情報公開してはならない情報が非常に多い、それだけ気をつけてください、と言われています。特にＯＥＣＦの場合そうです。金融に関する事業は他に第三者に公開してはならないという原則が、今日までもあります。非常に信用に関する問題ですから、誰がどれだけ借金しているなどとは公表しない。それは一つある。第二に政府が行っている事業であるから、他の利害関係者に示したらそこでトラブルが起こる。故に示さないといっている。それは相当な理由があることですから、ずっとＯＥＣＦの場合は続いていた。他方、日本の官僚社会には、民には知らせるべからず、寄らしむべしという伝統があったのも事実です。官というのは全部かくして批判をされないようにする。情報を隠して持っているというのは、一つの大変なパワーですからそういう力学が働いている。ＯＤＡの問題もそうですが、他の問題でもかつて情報公開せよという動きはあったのです。しかし、しばらく言っていてもまた元の状態になってしまった。非常に残念です。マスコミもそういう風になってきて、鷲見先生なども、まるっきり情報公開していないと、それ以前に80年代のすべてを通して、内容を知ろうという関心がなかったことも事実です。この問題にタッチする人が内容をはっきり知

ろうと、仕組みを知ろうと、誰も知ろうとしない。私が本を書こうとしても、そんなもの売れませんよといわたことが80年の初めにあるのです。でも関心を持って知りたいとこういう先生方が思っても役所で教えられませんよと蹴られたでしょう。怒り狂って書いている。それに呼応して、この三年間位、援助予算実施機関のＪＩＣＡ、ＯＥＣＦは最大限公開しようというマインドになって、出してきています。しかし、全部ではない、特に政策の決定のようなところを、四省庁の内どの省が何を言ってというのは発表していない。だからあれは密室だと言われればそうかもしれない。結果は発表してもプロセスは発表しない。それはまだ未だにそうだと思います。

Ｑ：ＯＤＡというのが実際に、国際機関、例えば世銀やＩＭＦなどのバイアスをどの程度受けて決められているのか。それは日本のＯＤＡの独自性などに関わってくることだと思うのですが、国際機関の方針に基づいて、ＯＤＡがなされているのであれば、世界の風潮は当然、日本がついていかなくてはならないのかなというところで、マスコミとかの主張などはいまいち的を得ていないという感じがあるのですが、そのような国際機関との連絡をとっているのか、またどの程度ガイドラインに沿ってやっているのか、ということについてお伺いしたいとのでが。

Ａ：なかなか日本のマスコミも最近になって、世界銀行などはけしからんと言っていますが、この機構は非常に広くて分かりにくいのでそちらの方には目が向いていませんでした。原点に返ってみます。マスコミは日本のことは批判しますが、国際的なことはあまり紹介していない。しかし、スタートから今年まで、二国間の援助の条件は何処で決められるか、それパリにあるＤＡＣ委員会に世界の首脳が集まって合議している。その限りにおいて日本のＯＤＡは単独でどうしようとしているのではない。80年代からグラントが増えましたがこれはＤＡＣ委員会からのプレッシャーです。そのＤＡＣ委員会にプレッシャーを掛けることがアメリカで、また二国間でもプレッシャーを掛けます。だから日本のＯＤＡの量の拡大とかは、対アメリカの外交によって動かされている。ＤＡＣ委員会というのは先進国の援助国間の合議の場所です。政策や条件はそこで決められます。国際機

関の中で雄となっているのは世界銀行、ＩＤＡ、ＩＭＦの世銀グループ、
これは実際にイニシアティブを取って世界の援助業界をリードしている。
そこで、60年代には成長を考えましょう。70年代にはＢＨＮを考えましょ
う、80年代には失敗して債務を抱えるようになった国が出てきたので構
造調整を考えましょう。ですから有り様にみると、日本政府というのはど
うしても後追いですから、殆ど真似をしている。そういう提案を受けるの
でしょうが、やはりフォローしている。それが事実ですね。日本がその様
な指摘をするなら、もっと国際社会の指摘をしなくてはならないのではな
いかと。ただそれをやるのは日本式にやるのではないからそこら辺の区分
があります。ただＯＥＣＦは世界銀行に対して構造調整の政策に関連して
フィリピンに対するツーステップローンの世銀からの批判について初めて
抗議をした。それが動機で世界銀行は「東アジアの奇跡」というか、あの
検討をしたということになっています。だからご指摘の通りです。日本の
ＯＤＡは国際社会で合議した条件でやる。他方、実際に援助をやっている
世界銀行の影響は政策的にはもろに受ける。お金は国連ほか、世界銀行に
第二位の量で出しているが、しかし発言力としては、政策的に近い西欧グ
ループの方がメインを占めています。

Ｑ：世界銀行とＯＥＣＦの援助に対する理念の違いというものがあると思
うのですが、それに関連することで、最近民間によるプロジェクトが盛ん
になってきていると思うのですが、民間と政府援助の住み分けというのを
今後どのような方針で捉えられているのか。つまり、世界銀行のほうでは
民間が出来る範囲がもっとあると考えられているようですし、ＯＥＣＦの
方では伝統的にインフラ整備の方をやってきたという経緯があると思うの
ですが、その辺りの歴史も絡めてお願いします。

Ａ：両者協調してやってきて、特に構造調整などはずっと協調してきまし
たが、ただ、これも有り様によります。日本の意志決定のメカニズムは、
援助実施機関の様なところでは決められない。監督官庁が決めています。
そこで自分たちの資金の問題もあるし、或いは内部で色々な工作があっ
て、インフラは今から民間資金でやろうという風潮に大変強いものがあり

ます。ＯＥＣＦははじめ、民間に勝手にやらしてもという論を書いた人も
いるし、あまり民間に公共事業をやらせては困るだろうといっていますが、
体制としてはそれに加わって、民間資本を集めてインフラプロジェクトを
やるのを今後は主要にしたいと。もし、民間企業が相手の国の中で公益を
害するように、エスカレートするようであれば、官としての歯止めを掛け
る役割をしたい。これが基本としての姿勢です。どういう方向に進みます
かね。アジア開発銀行も北九州に来て今後は民間資本で大いにやってもら
おうといっていましたから。これは難しい問題をはらんでいて、エスカレー
トして突っ走るかというより、例えば電力、東京電力も中部電力も今は姿
を消していますが、出来た時はその地方の王様になるような性格があるの
です。住民にもその辺にある産業にも電力を供給する権限があるわけで、
そうするとそこに民間が入っていって、資本の原理でやって、公益と合致
するかという重要な問題がありますから、やはり何処かで歯止めが掛かる、
イギリスのように検査機関がいることが必要でしょう。

　日本側の利益だけでＯＤＡをやっているというのは根本的におかしい。
そんなことをすれば、人間一方が一方だけの利益のためにやっていれば、
５回も１０回も、２年も１０年も、いくら相手側が必要であってもそんなこ
とは成り立たないですね。ですからそういう極論はおかしい。また人道的
動機だけ、相手側が必要なことだけでこれを成り立たせなければならない
というのも、極論ではないですかというのが私の基本的姿勢です。相互
ニーズというのをいつも真剣に捉えていけば援助は改良されて行くと思い
ます。そこで条件としては、質問で触れましたように。ＤＡＣのメンバー、
つまり第三者のグループの中で議論していることで、日本が一方的に良い
とか悪いとかいうのは出来ない話です。借款はジェネラルアンタイドに
なって、これは途上国の要望だと書いている本が非常に多い。ですが、事
実は他の援助国からの要求によってジェネラルアンタイドにしたいという
ことです。その辺りの絡みを次のエジプトの例で紹介しますが、だからグ
ラントが何故タイドでなくてはならないのか分からないということを書か

れると、私のようにその世界にいた人は異常な感じがするのです。先進国が集まって、グラントで無償で渡す分までは各国のタイドにして良いと、それまで折り合って進めてきているわけですから、それをもう一歩進めたいと思っています。

別添４

　これは援助批判において根幹に触れている問題ですし、私が長期間問題視してきている問題なので、紹介します。この政府援助において議論しにくいのですが、最も大きな問題になるのは「調達」と呼ばれている、つまり、資金は政府の援助として出します、しかし誰がやりますかという問題が一番大きな根幹を成しています。条件にタイド（資金を出したらそこの国の者がやる）、日本はＬＤＣアンタイド（日本と他の途上国がやってもその資金は使える）、ジェネラルアンタイド（西側の諸国なら何処でも使える）、現在90％以上そうですが、途中ＬＤＣアンタイドというのが70年から85年くらいまで非常に長く続いて、中を見ますと、その時期が35％くらいは韓国などの途上国が参加して使っていたのです。だから途上国の方はその条件で満足していたと思います。

　そこでエジプトの例で見てください。私自身初代のエジプトの駐在員としていって、エジプトとイスラエルが平和協定を結ぶのを間近に見て、それ以降アラブボイコットがかかり、安定して間もなく、日本政府は援助を急速に伸ばしました。借款というと、約三年間の間に10倍に伸びました。先ほどの質問で出たようにエジプトの大統領はＢＯＴはやるといい、アメリカのコンサルタントに計画を練らせた。これは、アジア経済研究所が出した論文で、その意味ではアジア経済研究所の資料というのは、私も信頼していて、活用しているのですが、この様に、相手の国がどう言ったというような課題になりますと、どうしても大使館で聞くとか、伝聞による報告にしかならないだろう。そこから来ているので、アジア経済研究所の調査が悪いとか言うつもりはありません。しかし、実際を見てみましょう。

エジプト側の不満

　この様な要望は相手側はなかなか言いにくいということもあって、公式な書類は殆ど出ません。そこで、色々なことを聞いて書くとこれがまかり通り、日本政府の理解の基になる。ODAにおいて最も重要なことは相手の言い分を正確に理解ることではないかという問題を提起します。LDCアンタイドという条件では日本企業が落札するから、それは不満であるからジェネラルアンタイド、もっと言えばグローバルアンタイドを要求していると一番に書いてありますが、その様な事実はありません。エジプト側は一度もジェネラルアンタイドを要求したことはありません。無いのにこの様な公式の調査書に出てきているところが問題です。どう言うことからというと、相手側の援助にかんれんしている人は全部、ファイナンス付き国際入札をしてくれと、別にジェネラルアンタイドでなくても良いといっている。国家の援助の最高機関、14人で決めている大方針もそうなっています。

ファイナンス付き国際入札

　ファイナンス付き国際入札はジェネラルアンタイドと似ていて非なるものだという人もいますが、実は根本的に違います。日本は特にインダストリーの事業をやるとき輸出入銀行のファイナンスを使って相当な数のプロジェクトをおこなった．これは事業をおこなう方の国が国際入札をかけ、日本も含め各国が自分の国から15年払い、10年払いというような輸出入銀行の資金をつけて応札する。こちらの方に、途上国が馴染んできているという事情があるので、私はこれを挙げています。ところが、OECFの方はファイナンス付きの国際入札では困るという事情があります。これは援助ですから、輸銀と同じようなことをやられては困る。実際はファイナンス付き国際入札をスタートから今日までやった国があります。それはマレーシアです。しかし、最初に今年の案件を14件挙げてきたとしたら、OECFはこの案件はすべてフィージブルかどうか調べなくてはならなくなる。そして国際入札を行い、それで、一はドイツに、二はアメリカ、三

は日本にやってもらう……というようなことをスタートラインにマレーシアは行なった。しかし、それでは日本は困るといった。アジアですし、日本の状況も良く分かっているので、それでは今後は入札が決定する以前に出さなくてはいけないですねと。日本政府には、入札が決まってから資金をつけると、あなたはどこどこに応援するのですかという批判が出てくるので、それは行わず、先に決めておいて後から入札の結果を知らせてくださいと。マレーシアは心得たもので、自分のところは天然ガス、電力の開発をしたいというように、ずいぶんと要望がありますから、政府の中で案件をセレクトして、国際入札を行って日本の援助資金がつけば、これだけ有利になる、品質も良い、値段も安い、それでは日本に申請しよう、という方法をマレーシアはとりました。非常に現実に対応した柔軟な対応を取って今日まで来ています。このことの余波が一回出ます。83年に天然ガスの開発事業は日本が良いということで、日本に注文して日本がやっていたのですが、事業が大きいから二年間に分けて予算を付けました。二年目に大蔵省は世界の金利が上がっているので、金利を上げしまった。しかし、マレーシア側にとっては、前述のような条件なので日本に決めたのに、翌年に勝手に条件を変えるとはなんですかと、という事件が起こり、10数ヶ月の間ストップしたことがありました。相手のことを無視して勝手にきめたという、この例が典型的です。ジェネラルアンタイドでなくても良い、しかし候補案件について国際的に入札ができ、それで日本が良ければ日本の円借款を使わせて欲しいというのがエジプト側の言い分です。

　エジプト側からあらゆる国から発注をとりたいから、中立の国是に基づくとなっていますが、開発事業を行うときに、そのような建前論で行っている国はないです。やはり最も良い品質の物で、サービスが良く、安くて、それにプラスしてファイナンスが付いていれば、それで事業がやれる。もっと現実的に言えば、その様な立場を取っていれば、その事業実施機関は、国内にも国民にも我々はフェアにやっていると言えるわけです。そういうことが重要なのです。日本の役人は「これはＬＤＣアンタイドである。国際入札を行うのはけしからん」と何十回となく言っているので、ついには、

「あなたは我々を乞食にして外交を行うのですか、beggar 外交だ」となる
くらいにヒートしました。途上国では、日本勢だけで入札を行ったら、や
はりおかしいことをやっているのではないかとなります。ただアジアの国
は日本に何回も行っていますし、競争も相当行われているので、そもそも
自分たちがやりたいという案件に資金を出してくれるのは圧倒的に日本が
大きいので、だからそれを呑んでいた。しかし、本音はマレーシアが行っ
たのと同じように競争させてくださいということです。だけど、妥協して
日本だけで行っても良いでしょうというのがここ十数年続きました。ジェ
ネラルアンタイドになってからは日本が行っているのは 27-28％になって
います。

　アメリカの例を引いておられるが、その例にはミートしていませんと言
うのが書いてあります。今のようなやり方をするのに、諸外国はどうして
いるのでしょうか。フランスはアンヴェロップ、ドイツはピッグバスケッ
トというように、現実に対応するようにやってきています。アンヴェロッ
プというのは候補を挙げておいて、フランスが一位をとればフランスの資
金を使うということで、ドイツは最初に取れたものにその毎年毎年どれだ
け必要か政府が来て協議しながら決めるというやり方をしている。日本は
ＬＤＣアンタイドを遮二無二押しつけようとしたというのが 1983 年から
ストップしている最大の原因です。金利の問題。グラントエレメントも低
いといっているが、実は、相手側は日本の援助資金を欲しいのです。金利
が不満で中止したと書いてあるがそうではない。しかし、これが動機になっ
た事件はあります。先ほど触れた、突然金利を上げたことです。日本国内
では非常に中で協議をしているが、相手に伝えるときは、突然伝えるとい
う強い習慣がありますから、相手側はショックを受けてしまった。そのこ
とを、「金利が不満で」と書いているのでしょう。事実は違う。どうして
かという、全部ストップするのならばゼロのはずですが、ずっとセメント
案件というのは続いています。ですからそれだけが理由ではなく、大きな
問題は調達の問題です。

　5 番目の元本が云々というのは、別に間違いではない。年次を入れてく

ださい。これは私が自分でサインした、アスワンサトウキビ機械化プロジェクトです。5年間の間に農民生産量は5.7倍、収入は5倍に伸びて多いに満足しているけれど、ドルに対してポンドが弱くなり、ドルに対して円が強くなったので、約10倍に借金が膨らんでしまつて払えない。年号を入れてください。1985年には10倍になっていた。

　円が強いからと言うのは、確かに向こうに与えている影響はあります。また、グラントの比重を高めるべしというのは、別に日本の公式見解でもありませんし、エジプトとの援助の根本的な解決にはならない。

　次のスエズ運河庁の不満には日本の援助の契約は解釈が厳密すぎる。と言っている。こういう事実はありません、しかし、このように報告書に書かれる動機はあります。その動機とは、政府は交換公文で120億円の約束をした。ところが、運河庁は国際競争をさせ、96億円で落札した。日本の大蔵省は、96億円で打ち止めで、それ以上使わせないと rigid なタイドを取った。6ヶ月ぐらいたって、残りの24億円を使いたいと言ってきたが、そのときに日本側が交換公文の解釈を非常に rigid にするということを言っているのであって、内容の解釈が厳密すぎるのではなく、逆に世界銀行などに比べて遙かにＯＥＣＦの方が緩やかです。緩やかで良いかという問題は議論がありますが、報告として、これは逆のことを言っている。又、それが財政上の問題であると言っているが、それは財政問題ではない。

投稿　開発援助に現れる用語の定義（開発学会コラム）

　昨年（1996）の秋頃東京新聞に「ナショナリズムは是か非か」という自由論壇の欄があった。26歳の女性論者が見事な筆致と論法で「ナショナリズムは持つべきである」と述べていた。しかし、岡倉天心の茶の湯の精神などを引用したこの意見、どうも途中から変だなと感じた。つまり、それは我々がパトリオティズム（愛国心）の定義で教えられた概念と混同して論じていることから生じていたのだ。

さて、開発援助、国際開発学だが、この分野には造成後が氾濫し旧来の定義または源泉における意味から変貌・転用あるいは誤用される例に事欠かない。以下、いくつか例を挙げてみる。

トリクルダウン効果　ある援助批判書の解説に「一部の富裕層を豊かにすれば、その効果は貧しいものに滴り落ちる」とあった。これは「国家経済全体を発展させれば」という学説を一部富裕層と勝手に置き換えて批判の材料としたものであろう。

顔の見える援助　源泉は調達実績の低下傾向を危惧した産業界の声であろう。ODAの調達条件を再度何等かの形で有利にしてもらいたいという表現が転用または善用されて人間によるNGOとODAのサービスを援助とする意味となった。

ハコモノ　これは余りに拡張して適用されしばしば意味不明のことがある。源泉は80年代初めから一般無償を急増させる過程で、誰かがモニュメンタル性を選好し、建物を主目的とする開発案件を業界用語としてハコモノと略称したことにある。80年代後半これは相手国の業者でも実施できる等の理由からハコモノ不要の声になり、変転して今はインフラ全体を総称するらしく、悪しき援助の対象として用いられるのが風潮になっている。

バラマキ援助　これも批判論が関係者の苦し紛れの言葉を流用した悪しき意味の援助用語である。無償援助の急増を図った時期にミッション派遣の都度、候補案件の急速な準備を要したことが恰もバラマキのようだと嘆いた言葉が流用され、援助行政そのものや予算執行の方法が杜撰であるという語感の用語となった。

　最近、**市民社会**とは、として「NGO推進論者は日本の活動人口を政府、政府機関、自治体及び関連機関に属するものと大小の営利企業及び団体に属するものに分け、これら二つに属さない漠然とした民衆だけを市民社会と定義する」という論旨を読み、思わず唖然とした。現社会を抽象的または表面的に観察すればこのような定義も生まれるのかもしれない。しかし我々50代以上の世代が学んできたことは「欧米の近代資本主義の形成過程では階層間で相克を行い、個人主義を基本とした個人と社会の関係を確

立した。個人はその属する職業上の組織には契約上の義務を負うが、組織人であると同時にまたはそれ以前に各々が社会の公益に尽くす市民である。これら市民によって形成されたコミュニティが市民社会である」という定義である。市民運動という具体的な行動も市民社会で合意や支援を受けることが主要な目的であろう。ＮＧＯも日本の縦型管理社会のうちで育ちにくかった市民社会を形成する原動力になること、即ち上述のような職業による縦型に区別するのではなく社会に広く求めることを主目的にするものではないだろうか。

　最後にもう一つ**知的支援**による**援助**。これは極めて目的にフィットした用語であると感じ提唱者に脱帽した。ただ、この定義による援助の対象は単にいわゆるソフトと称される分野でも良いのか、政策や付随する制度に限られるのか、理論とその実証の成果を指すのか、浅学の故にいまひとつ明確に説明できない。有識の方にご教示をいただきたい。

　ともあれ、今後も我々が関与しているこの分野では多くの新語や造語が発生するに違いない。また確定した概念も世代の相違から相当に別解釈が行われている。当学界の識者や意欲ある人によって、我々としての解釈を確立する試みはできないものだろうか。

第Ⅲ部　時事小論

1 縦型管理社会から横型契約社会へ

1 縦型管理社会とは

　バブルの崩壊から90年代を通して今日まで、日本経済・社会に対する批評は悲観論が多数派を占めていた。政治は混迷し、不祥事が続き、社会の弱点が露呈され、膿は出尽くすことがなかった。世に改革論・提言はごまんとあっても到底纏まりがつきそうになかった。また、扇動的な印象を伴った楽観論も見受けられたが、あまり説得力はないように思われた。

　一つの要因を以て社会のあらゆる事象の原因であるとするのは本来不可能な試みであろう。しかし、これほど多くの問題が同時に起きてきているということは、日本の経済・社会構造を支えているシステムそのものに疾患、あるいは不適合な体質があり、それを根こそぎ撤去するか変革しないかぎり日本の未来は明るくならないと考えて、あながち空理・空論ではないように思う。

　社会全体の縦型管理システムとは、先ず職業として属した組織に全人格的な忠誠を誓うことによって個人は長期の生活を保障され、組織間においては官と民、あるいは大中小の組織形態によって上下の関係が造られるという型を取る。組織内の各人には役職・年次などの序列を用いて秩序とする。全くの個人関係以外では、対等に円テーブルにつくのではなく、席次を定める習慣など、日本社会があまりに長い間身を委ねてきたので、このシステムを他のシステムに変更することには考えが及ばなかったのではないかと疑問を抱いた。

　民主主義・市場経済という社会を運営する仕組みは、個人主義・契約社会というシステムをベースに欧米が作り上げたものである。しかし優劣の評価は別として、果たして個人主義・契約社会というベースは日本に定着していたであろうか。

　「木に竹を接いでも土壌が強固であれば定着して20〜30年はうまく伸

びるだろう」とは 70 年代の初め社会の土壌が荒れきったアルジェリアで
開発事業に携わっていた筆者の感想である。そして、その頃の西欧社会の
ゆとりに接した筆者は「畢竟、縦型管理システムは市場経済になじまない
のではないか。最終的には破綻を招くのは避けられないではないか」とい
う疑惑を持った。これに対して「いや、日本は戦後の復興、高度成長、そ
して国際的には大債権国として国家経済トータルでは巨大化し、成功を続
けたではないか」と反論されるかもしれない。確かに官僚指導、産業再編
成、諸々の日本的縦型システムは戦後 30 年間、もしくは 80 年代半ばまで
の 40 年間、国民の資質という強固な土壌に支えられて有効に機能し、成
長の実績となった事実は認めよう。だが、ある時代に有効に機能したシス
テムは内的・外的与件が大きく変化すると利点より弊害が大きくなるもの
だという歴史的な命題を忘れてはならない。景気回復、行財政改革、構造
改革、政治改革等、この 10 年、処方箋は数知れず現れた。しかし残念な
のは、全ての問題の根底にある社会構造そのものにメスを入れ、その原理
を明快に解明する論評に遭遇しなかったことだ。

2　変貌の過程

　評論家が百家争鳴を続けている間に、現実社会では抵抗と軋轢を伴いな
がら縦型システムが変質し、崩壊し続けてきているようである。元来、こ
のシステムは上下の絆と集団組織の自己防衛力が極めて強い本性を有して
いるから、既存の権益（上下の地位であれ、組織益であれ）を削減して変
革を行うには常に抵抗が大きい。そのために、あるべき改革はしばしば遅
延する。とはいえ、90 年代初めから続く経済の不況と社会の混迷は否応ナ
シに社会変革を強制した。多大の犠牲を伴う変革は実相として縦型管理シ
ステムを崩壊させてきているように見える。つまり評論家が個別問題への
対処療法を論じて批評や提言を繰り返している間に、現実にはあまりに長
く続いて当然視されてきたこのシステムを崩す力学が働いたのである。
　90 年代を通して生まれた数多くのリストラによる失業者の姿は終身雇用

と呼んだ生活の安全措置が幻影であったことを人々に周知させた。マスコミの論調はすべて「労働者よ覚悟せよ」のニュアンスであり、労働者側の変化、例えばそれまでのような忠誠心は期待できないから「雇用者よ心せよ」と雇用者に警鐘を鳴らすというトーンは殆ど見られなかった。

官僚機構の統廃合については、中央官庁の合併を見てみると、縦型のものを合体させただけという姿から、中途採用を初め　、雇用方法や給与基準の変革など既存の制度を崩して、あるべき方向に少しは進んでいけるように見える。特殊法人の統廃合は抵抗も大きく難物中の難物であるが、民営化に向けて多少は進んでいる。80年代の行政改革では国鉄と電電公社の民営化で大騒動をした経験を教訓として想起しよう。公企業がある一定の時期以降には弊害が大きくなるのは、究極においてその存在とそれに関係する規制が市場の原理、自由競争を阻害するからである。自由競争を進めた結果、独占や寡占化した大企業が公益を侵害するが、これは又別の対応策で考えるべきである。

政治改革については、次の事実からこれまでは絶望的なまでに期待が持てなかった。なぜなら、先進国と呼ばれる国々の自由主義社会には利害を異にする社会集団があり、それぞれが支える政党がある。それが時代の推移に従って、いずれかの社会集団の要望が強くなったり、どちらかの政策が行き過ぎたり、飽きられたりして政権の交代が生じるような構造になっている。しかし、日本は一億、総中流階層意識の社会と言われ、戦後数ヶ月の片山内閣を例外として万年保守党の政権であった（村山内閣も保守政権である）からである。

とは言え、この長期不況で少し変化が起こりつつある。この変化が成熟した市民社会が持つ本当にゆとりのある生活を実現していくのか、国民にとって利のある方向に進んでいくのか疑念は深い。やがて経済は上向き失業率も改善されて、新しい事業や社会集団が新しい行動をとるであろうし、情報をはじめとする多くの新しいテクノロジーが否応でも社会の変革をもたらすであろう。しかし、その変革が国民生活にとって望ましい方向に進んでいるのかどうかという疑問が付きまとうのは、この縦型管理社会が極

めて頑固な体制であることを知ってきたからであろうか。

2　天皇の慰霊への旅と歴史問題

　日本が近隣の主に中国、韓国と所謂、歴史問題で葛藤を繰り返してきた
ことは関心の濃淡はあるとして、国民全てが知っていることだろう。この
研究を続けたわけではないが、余りに巷間に諸説が乱舞するので、問題の
提起として少し、所信を記してみたい。

1　戦没者の慰霊

　先ず表題に記したのは多くの問題のうちの一つ、国の代表者による戦没
者への慰霊という行為ないし、儀式である。今回、天皇のサイパン訪問は
二重の意味で希望ヲ与えてくれ、且つ今日まで粉々とした議論を行った問
題の本質の一端を示しているように思われる。

　天皇の足が海外にある慰霊に向いたのは遅きの観があるが、望ましいこ
とだと朝日テレビのキャスターは報じた。その通りである。しかし、社会
のオピニオンの方向づけを担うマスコミの意見はここまでである。極めて
重要な変化として「沖縄の人と韓国人への慰霊」を行ったと付け加えられ
た。さらにこれは当初予定に入っていなかったと記録され、また韓国のテ
レビは日本国王は初めて韓国人の墓参りをした、と放映した。

　靖国参拝が問題としてクローズ・アップされた以前から幾度となく自ら
に問いかけたのは、中国、韓国に限らず、シンガポールでの華僑虐殺の鎮
魂、マニラでの犠牲者への供養など日本の戦争責任を問われた相手国の慰
霊の行事に国を代表して日本から誰かが参加したという報道があっただろ
うかという一事であった。「米国のアーリントンの無名戦士の慰霊は行っ
た」とある者は答えるかも知れない。

2 ドイツの姿勢

　日独の違いを記した筆者の一文に「一九九五年五月第二次大戦戦勝記念日にドイツの首相はポーランドを訪れ、無名戦士の墓に額づき、堂々と民族の侵した罪をわび、謝罪のあかしとして当面、何億マルクかの賠償を約した」とある。丁度この日ワルシャワからアウシュビッツを訪れていた自分は感慨深く、恩師の国際政治学者の泰斗であられた岡義武教授が、書斎で語られた「ドイツも我が民族も過ちを犯した。しかし、ドイツ民族はそのことで卑屈になってはいない」という彼我の姿勢の根本的な差異についての談話を想いだした。

　両者の差の説明に当時の国際環境下での状況の違いや、国単位の和平条約による賠償と個人単位での保障との違いなど数多くの論がなされた。

　「謝罪はドイツより我々のほうが多くの回数行ってきた」（町村外相）とか保守派の言うように、「そもそも戦争目的が異なり、日本は旧植民地の解放のため戦ったのだ」に至るまで、謝罪とはヘイコラする態度である。とか我が民族の戦争行為を道徳的に正当化をする論が後をまたない。私にはこれらは全て空しく聞こえる。

3 日本の正当化論の功罪

　このような正当化論は国内向けには聞くに快く、受け容れるに容易である。そして実態としては、口先で謝罪し、次の世代には日本の侵略を進出と教え伝えるような小細工をする。戦後30年ぐらいその時代の状況下で自らの責任にケジメを付けていなかったのだ、という根本的事実を等閑に付してきたのだ。

　戦争責任について日本は卑屈であった。この理由を東洋的あるいは日本的な「恥の文化」であるのかと自問してみたが殆ど説明にならない。はっきりしているのは、戦後、極東情勢の激変により、米国が対日政策を一八〇度転換して、日本を共産圏への防波堤として利用する。および米国

への追従者は物質的に繁栄することを示すショーウインドウの役目を与え
る。このような政策上、日本の指導層と国民を集団的健忘症に追いやった。
これを奇貨として、日本は被侵略国に対しては過去を水に流そう的な姿勢
を取り、それが恒常化したのであろう。

　強き米国には全て追従し、弱き近隣国には指導者的な言動で望む。縦型
管理社会の秩序の国際版である。

4　真の国益とは

　日本国内に向かっては如何様にも識者も指導者も自分たちの見解を説明
はできるだろう。だが、根本的に考えなければならないのは、真の国益を
図るためには、この問題を関係国だけでなく国際社会がどのように受け入
れて来ているのかということではなかろうか。外国の反応はどうでも良い
というなら、そもそも国際的な問題を国内向けアピールに終止するような
論は全く無意味ではないだろうか。

　グローバル化が進展した現代でも国家という主体は厳として存在する。
そして外交とはその本質において国家、または国家集団間の利害の調整で
あると確信して来た。ただ一つ、この加害者側が被害者に対して取る言動
だけは、直接の利害調節だけで成果が得られない唯一の例外だと筆者は考
えてきた。

5　謝罪の姿勢と実例

　事実を毅然として認め、相手がこちらの誠意を信じられるように堂々と
謝意を示し、その証として、進んで可能な限りの補償を申し出る、横並び
論で要求を一つ認めればエスカレートするという危惧や直接の損得計算は
棚上げにしよう。要は「けじめをつける」という基本姿勢である。「日本
は永くて苦しい努力を今から必要とするだろう」（仏ルモンドの記者ピエー
ル・ボネ　2000 年 11 月刊）の一節を思い出し、2005 年初めからの反日運

動と常任理事国入り妨害の報を追って、「ついに来るべきものがきた」の嘆息をつく思いであった。

二、三の具体例に私見を述べる

補償裁判　冒頭の記事の前後、満州七三一部隊の人体実験の生き残りの人々が起こした訴訟に「個人が国に補償を求めることは法になじまない」風な判決が出た。戦後60年間にどれだけの回数の補償の訴訟が行われたか。これにマンネリになって日本社会は無感覚なのかも知れない。司法権力というものは本質的に国内的体質を持つのであろうが、個人補償はサンフランシスコ条約が残した抜け穴である。被害者の補償請求権はあるのだ。しかし、これを全部取り上げて行けば天文学的数字になるであろう。日本の司法は国家に訴えるのは法に適さないと判決する以前に政府に今後、訴訟を行わないという約定を関係国と交渉して定めるように要請してきたか。一括いくらになるのか。こちら側が能動的に提案すれば相手も天文学的数字は要求できないだろう。そして今後は補償問題は日本が支払うこの補償金を用いて全て相手国内で対処する、と共同声明を出すこと。韓国とは一度、相互の政府で責任を持つと協定したのに、また対象を広げて増額を求められているという。果たして、けじめは徹していたのか否かと疑問がある。補償裁判が国際社会にどのように映っているのか毎回、心が痛む。空疎な判決を何百回も繰り返す膨大なコストとその結果、日本は政治的小国という批判を受けるのでは国益には何も寄与してないと思う。

靖国神社参拝　日本の首相の「適切に対処する」の言い逃れももう終わりかも知れないが、当時は毅然どころか米国の威光を傘にきたゴネ屋の観すらした。隣国国民のうっ積した感情に反日の火を付ける愚かさを行わないというのが、これに反対する第一義的な理由だが、そもそも靖国は護国のために戦死した霊を合祀すると定めてあったものなのだ。罪を憎んで的な説明は的外れではないか。ほかにも戦争被害者は無数にいるが、あくまで戦死した人を祀るのが、原則であった。

分祀はできない、とか神社側の妙な先例論など、政府はつぶせる。合祀したものが分祀できぬ宗教ではあるまい。刑死者の霊は立派な施設に移し

て別途弔えばよい。参拝も本当に個人ならば全く自由であろう。

6　外国人の慰霊と式典

　日本は自国の被害者だけに目を向けてきた。という声を外国から度々聞いた。冒頭の記事に帰ろう。「日本の王（元首）が韓国人の戦没者の墓に初めて詣でた」しかも、当初の公式スケジュールには入れていなかった、つまり政府はなにも考えなかった。大戦後の極東情勢から米国の敵性国家になった中国にはサンフランシスコ条約でなく国交回復条約によって友好関係を取り戻した。だから被害者への慰霊も補償も終わった。この問題は水に流そう、と自己流の解釈を自らに言い聞かせ、経済交流で全て解決するという姿勢と、また事あるごとに歴史的事実を道徳的に正当化する様々な型──教科書問題とか──をとり続けたのだ。

　これら全てが日本は政治的大国になっていないと国際社会で受け止められていることは外国の論評で数多く見受けられた。

　翻ってドイツの姿勢を追うと、敵性国家ソ連の傘の下にあるポーランドで1970年には西独首相は公然と戦没者の墓に額ずき、今はまたホロコーストの巨大なメモリアルをベルリンの真ん中に建立している。

　補償の多寡や道徳心の高低の問題として論じる要はないだろう。要は国際社会に対する両者の姿勢の違いが長い年月の間に日独への評価の差となったのだ。

　ドイツを真似る必要はないという。確かに筆者も根本的には同意見である。しかし実際に連合国側の戦勝60周年記念、「ノルマンディー上陸」にドイツは正式に招かれているし、大衆の反独暴動も生じてこない。常任理事国入りにもかつての被害国は反対していない。国益を正確に勝ち取ったのはいずれなのか。余りにも明瞭ではないか。今からでも遅くはない。超大国米国追従だけを国是とせず、日本にはこの問題について永く苦しい努力を続ける覚悟が欲しいものだ。

3　豊洲市場問題に露呈した日本的意思決定の怪異

　小池新都政が始まって最初の目玉議題となった問題は、周知のように豊洲市場への移転に先行して行う環境整備の対策に関する都の行政である。移転の時期まで設定していながら、当初から何かうさん臭い煙がたっていた。環境対策、保全について当初定めた方針を、いつのまにか誰かが盛土は行わないでもよいと変更して、そのまま作業が進められていた。そして、地下に大量の水が溜まった状態のまま工事が進められ、市場の移転まで行われようとしていた、ということである。ここで奇妙なのはだれが何時この決定を行ったかが不明である、とされた怪異である。

　このように、意思決定を行った当事者が不明と言われるケースは、しばしば遭遇する日本的機能運営の通癖なのである。この場合は事柄の性質上、関係者は相当確実にその責任者を知っていながら、組織の自己防衛からか相互にかばい合い隠しあっているのだと推察は付いた。そして知事からの追及に対しても、関係者は「どうせ探しても判らないのだから、責任者探しよりも工事と移転の作業を進めてくれ」、というような声も聞こえた。しかし、それは困る。そのまま有耶無耶に過ごしたらまた先行き、同じ問題や過誤に陥るリスクがある。

　調査の挙げ句、想像したとおり責任者は出てその処遇も定められた。今後は同じ間違いはないように、意思決定を行う場合はその責任の所在を明示せよ、というルールの設定である。これで姿勢は正されたであろうか。十分とは言えないが、今回の対応は兎も角何等かの進歩である。ここで、この種の組織における日本的意思決定の有り様について、少し考察してみよう。

責任分散・責任回避の知恵

　日本の歴史を振りかえってみて、この国の社会的行動としてこの二種の知恵が働いて出来上がった慣習がある。著名なのは百姓一揆を行うに際し

て、署名は丸い傘型にみんなが行い、誰が首謀者か、どの順番で同意・署名したかを不明にする、という被支配者側の知恵である。罰則を受ける身となると群をなして相互にかばい合う。首謀者は不明で、全員に極刑は行い難いということである。同じ要因から責任回避の習慣も生まれたのか、判断や決定が困難な課題、問題にはしばしば合議制でかつ責任の所在を故意に曖昧にするものがある。

稟議制、合議制

今一つ責任回避の方法には稟議制・合議制がある。これらの習慣は民主的な手法であり、日本で歴史が浅いかというとそうでもない。民主主義が初めて導入されたのは第二次世界大戦後であるとされているのが普通である。確かに大正デモクラシーと銘打って、日本の近代化の中期に政治の民主化は試みられてきたが、それ以前にも封建制、村社会の中でもこれを民主主義の一形態と呼べば呼びうる「合議」というのは極めて多く行われていた方法である。決して日本的な意思決定は常にリーダーの判断や決断、または統治者や権力者の命令だけによって行われていたのではないことが知られている。

稟議制は今でも古い体質の会社では用いられているのではないか。立案者や実施者が関連者の多くに回覧して許可や同意の捺印を得る。捺印した者はその決定に同意した責任があるという責任分散の形態である。また同時に同意や許可を与える権限の所在を示す組織内のヒエラルキーを示すためであるが、屡々形骸化して実質的には意味を成さぬ場合も多い。

下意上達、そうせい公型責任者

一般に民主主義のもとで広く周知を集めるが、封建制、独裁型統治では上意下達であり下の者は意思決定に参加または関与できない、というイメージで説明されている。しかし日本の政治構造を権力行使の視点でその姿を紐解いてみると、独裁的な指導者がすべてを取り仕切っていることはまれであり、指導者を取り巻いているいわばブレーンがすべてをお膳立て

して、指導者はそれをほとんど鵜呑みにして物事を運んでいるケースが極めて多くある。また一応トップが決定を行うが、それはあくまで集団の責任者の合意を得ていることが前提である。歴史に例を求めると、幕末維新の先駆をなした毛利藩の藩主は、家臣が反幕といえば「うん、そうせい」。幕府に恭順と言えば「そうせい」、と常に家臣の合意と提言に対応したので「そうせい公」と呼ばれたが、結果としては藩政を優れた家臣の思うように導いた名君である、とする評がある。

　形式的統治者とされた天皇制、将軍などに似て、日本の大型組織の運営にはこの形にあるように、真実の意思決定の責任を問えない責任者である場合が極めて多い。逆にまた、このような土壌のある組織内で優れたリーダーは、逡巡するスタッフに「よしやれ。責任はわしが持つ」的なリーダーシップを発揮し、それが多くの信頼を勝ち取る要因となっているケースは多い。

責任所在の意思決定

　いろいろ日本的な意思決定の要素やスタイルを追ってみると、意思決定者が漠然としているのはこの国の社会的な風土に起因しているようにも見える。つまり明確な意思決定者を定めないのが社会の慣習に一致しているのだ、という見方である。しかし、これは今回生じたような責任不存在のようなケースとは判然と区別してほしいものだ。何故ならば、漠然として意思決定者が不明瞭で良しとした場合は、それが全体の利益につながると関係者が認めているからであり、決して意思決定者が責任を逃れるためだけにその行動をとっているのではないことが知られている。

　それとは相異して、意思決定の責任をあいまいに糊塗せんとしてわざと不明瞭にしているのが、今回の豊洲市場の環境整備事業の運営で問題として発生している事例である。また、事件の発端から意思決定の責任者が、対処に関与していないから知らなかった、意思決定をした対象の内容は知らない、或いは忘れた、という類の組織内の責任者の姿勢とその責任が問われていくことになる。また調査が進むにつれて暴露されることは、このような大規模な利害がからむ問題にしばしば政治家の暗躍が意思決定の鍵

となっている、という実状である。事態の展開によりどこまで事件の真の姿が公に提示されるのか予断を許さないが、このような事情があればそれは最大の都民への裏切りとなる大問題である。

　いずれにせよ、職務権限規定で規則化されているような裁量のほかは、組織内または外部でもこの意思決定の責任の所在は問われる。今後もあらゆるケースで集団的意思決定が極めて多く生じるであろうが、組織の名を用いて行った責任者の個人責任があることを前提にして、常に誰が決定したのかをチェックする機能を持った別の機関を設置して事に当たる慣習、ないしは規則を作りたいものである。

4　建前と現実的制約

　久々に畏友、尾村氏の卓抜な政治論に紙面で接し妙な興奮を覚え、何か表現したいなと思いながらも今は考える時間がないと断念していた折も折、何か書けと急ぎの要請を受けた。思いあまって上京の"のぞみ号"の車中で何でもよいから兎に角、書くことにした。

　前述の政治論は緻密な分析からODAのあり方を考察し、その実現には疑問符を付した所謂プロの鋭い論文である。論旨にいささかの異論もない。ここでは旧友が勝手なごたくを並べていると畏友にはご寛恕頂きたい。

　昨年末の選挙は行革選挙ではなくて行財革選挙だったと受けとめていた。いずこに属しても関係者は必ず財の文字を付け加えたと言う。即ち、コインの表は行政改革、裏側は消費税アップと社会保障の個人負担増である。この双方は財政健全化という同じ目的をもつ又はもつべきであることは論を持たない。

　しかし単純に判断してもこの双方には根本的な相違がある。つまり前者は行政制度そのものとその中の人々が何等かの痛みを受けるのに反して後者は勤労者、国民大衆が痛みを受け容れねばならない。その違いについての与論を期してたが、アレヨと言う間に後者だけがどんどん進行している。

政治の建前から前者についても何かはやるだろうが、いずれにせよ何処か が血を見る課題であろう。

　更に1981年カイロからの帰国の直後、野口悠紀雄氏の論文で、「行革は 常時、行うべし、しかし財政赤字は主に不況対策に投入した財投を大企業 というシステムが吸収した結果の産物であり別次元で考え対処すべし」に 接し眼を洗われた感がしたのを記憶している。

　学ばなければならなかった事は政治に限らず殆どのスローガンには表裏 とまで呼ばなくても、利益面と不利益面又は現実的な制約が包含されてい る事である。物事を斜めに眺めるなという故なき批判に拘泥せず全て現実 的制約についての忠実な理解が必要であろう。これを忘れると目標は絵に 画いた餅になるであろう。

　ODAに関する上述論文にある5点の批判要旨とコンセプト作り5項目 は全て納得できるものである。別の観点からODA改善の目標でもあり具 体化の方法でもある2、3の項目について記してみよう。

市民参加型援助

　オンブズマンなどでやっと市民活動の実効性が芽生えた。この方向への 努力は焦らず急がねばならない。ただ、個と社会という市民意識は日本に は育って来ていなかったという事実を深く認識して対応しないと途中で腰 砕けになる怖れがあるだろう。

NGO

　現今（1994年数値）ODAの1％しか占めてなくても、これは急いで増 大させるべき目標である。ただ内外ともに玉石混交であるこれらの団体活 動を誰がどの様に見極めるのか、もし補助金だけに頼る（？）という方向 が強まるとどうするのか等、問題はもう目の前にある。

ソフト化志向

　もっともである。がしかし、ソフトの援助とは根本的には底辺に長期の

文化政策の実施などのベースが要るものではないか。純然たるソフトの移転を行える素地が日本と相手国にあったのか等、現実的制約は厳しく目に映る。だがこれらの理解は決して否定論や懐疑論ではない。或いは老学者の篠原三代平教授が言われるように、「美文による作文ではなく、行政改革でも、円高対策でも真剣にやって欲しい」（95 年 10 月）と公表された際に受けた感動が続いているためかも知れない。

　ＯＤＡ改善の具体的方向づけの一つとしてほぼ 20 年間、自問自答を繰り返した方法がある。大企業が一挙に市民参加へと飛ぶのも良いが、今一つは、中堅、中小企業がＯＤＡの契約実施者となるよう、この受け皿に地方自治体を当てる。自治体の執行状況は市民が観察する。という図式である。知識人が忘れている日本で最大数を占める中小企業活動をクローズアップしたい。この課題は、数字や説得の論理を固めてから新たに提示したい。

　最後は一番身近な我々グループの課題である。複数の専門家のグループ化は 79 年にコンサルタンツの実情調査を行った時からの念願であったと自称している。しかし、同時に制約として認識せざるを得なかったのは、縦型の発注に対して横型のグループが如何にして元請になり得るか、である。いまひとつは人件費と呼ぶ間接費である。おおかたの諸兄と共に考えたい。

第Ⅳ部　自伝と旅のエッセー

1 私のプロフィール

このシリーズ初期の掛川先輩の一文に「ご立派です。私には何一つ語るものがありません」と、包丁を片手にこの途一筋と途上国を駈けめぐった同氏に敬意を表した。「初年度の稼ぎナンバーワン」とか噂されても苦笑だけ洩らし、爾来、今日まで何やら顔の見えない友好なメンバーで打ち過ごした。ともあれ、これはプロフィールなのだから、何の飾りも要らないだろう。素顔で己の半生を記してみよう。

1 大学時代

昨年、同窓会……日銀の副総裁に就任したF君の祝賀会だった……で心暖かき同窓生が「君やS君の学生時代を思うと涙が出る」と洩らす。私「おや、聞いたことがないね」。短い対話のうち、何故とはなくその時代の六年間が蘇った。

四年生の年、春と夏の通訳仕事を終え、就職を定めた後、現実の幸福、幸福……と何度もつぶやきながらも、生涯の悔いを怖れたのであろう、方針変更を決断した。「学生さん何回来ても期日通りに返しますね。今度は大学院の試験で大変だから、二、三ヶ月遅れても良いですよ」という質屋の主人に礼を言って京都へ飛んだ。学生服を一回も着なくても、自分は今は幸せだと親友に洩らした外語大を終えた。

京大の大学院（国際政治学科）に籍を置き、多少の安堵感をもって、翌春東大法学部の試験に臨んだ。その成果を一葉の葉書で嘆賞してくれたのは、後に大蔵大臣も務めた竹村正義氏であった。

一年後の夏の終わり、父の急死とともに役人をあきらめ、民間企業の東洋高圧（合併で三井東圧化学、更に再合併で現三井化学となる）に入社した。事務系は六つの大学に限るとする、年功ではなく年次序列の日本的な大組織に身を置いたのである。知的サラブレッドの出身S君が今頃になって評するとおり痩せた小さな狼の外貌で三井系の末端に連なったのだろう。

2　貿易マン時代

　短期の工場勤務後、総務で官庁と金融機関廻りを二年半やった。訪れる銀行や生保の玄関を入ると匂いでその差を感じ、自分の姿勢を相手に対応させるようになった頃、できたての輸出部門に引き抜かれた。

　途上国への関心がいつ頃自分に芽生えたのか定かでない。大学入学時からの留学生との付き合いはあるが、コロンボ協定の研修生を各地に案内した時か、もっと遡って、故郷の広島で催された第二回世界平和大会に参加した数十カ国の新生国の代表との出会いからなのか。だが、疑いもなく、この 60 年代の半ばからの職が契機で、今日まで一貫して開発途上国に係わり合うことが半生の天職となってしまったと思われる。

　折から東南アジアに軽工業が発展しつつある時代であった。成形加工用のプラスチック、続いて合板、繊維、紙、塗料用などの樹脂原材料を輸出する。製品は細かく、銘柄は一品につき数百を数えるものもあるから、出入りする大小の商社、製造業者は数が知れない。商社と価格を対象のきわどい交渉は連日のごとく続いた。一躍ミリオネアーに変貌した香港商人の黄さんや陳さん、年に国内担当の 50 人が扱うのと同額の年間契約を成約して、若造一人だけを銀座に招待してくれた台湾財閥の総帥林さん。

　彼等から痛切に学び取らされたことは唯一つ、信義の原則であっただろう。苛烈で絶妙な交渉を行う人ほど個人間の信義は普通人の何十倍も厚い。錯綜した商チャンネルのさばきも根底においては、この原則で当たるしかなかった。幼い時から、事業家の父に「人に金を出して貰ったら借金と思え」、「信用を失えば人は終わりだ」と厳しく育てられた躾は、時代が移り変わっても自分の裡に生き続けた。

　後の援助機関在職の時代も同じく旧知の人が出来るが、この貿易マン時代から現在まで、『我が社の七人の神の一人だ』と呼んでくれる Y 社長、フィリピンの千万長者になっても机とビーカー一つの時代の旧友として昨年も歓迎してくれた Sy さん、自分の半生のなかでこれらの人的繋がりだけが誇り得る何物にも代え難い宝であろう。

　担当一人で連夜の残業はどれ程続いたのか、成形用プラスチックが半期

50万円から1億8000万円、続いて工業用樹脂を0から2億円、その実績のスピードは例え、絶後でなくても空前の記録と評されても、社内には管理、工場、国内販売、技術サービス部門、外部には途上国のユーザー、大中小の商社があって成り立つ世界である。看板と総合力による成果だから、それが自分の営業力によると自認できたことは一度もない。

　ライフワークを得るため、留学がしたい、そう念じて本郷に下宿し、残業を終えて12時まで母校の図書館に通いつめた。

3　プラント輸出マン、援助機関スタッフの時代

　60年代末、その時期まで最大のプラント輸出額と言われたアルジェリアのプラスティック・コンビナート建設プロジェクトのため、子会社に長期出向となった。そこでは相当数の翻訳者、通訳の世話からアルジェリア側の客先との折衝、招待まで、数百を超える技術集団と共に寧日もなかった。

アリジェリアの砂漠の町・Galdaia(1974年)

　閑話　先述した留学の希望が実現した。学者の卵しか受け入れない仏政府給費留学生試験を仏大使館のトップが通してくれたのだ。目標はまさに「開発経済学」である。冬、夏、春そしてまた夏の西ヨーロッパの独り旅

……その記憶は『北の国、南の国——永遠（とわ）に老いまじき』の旅行記に記してある。1年半後、7種の必須科目をパスし論文骨子（ラポール）を受理されて帰国した。その足で土塵もうもうたるアルジェリアの現場に急行した。

　プラントの建設現場とはどんなものか？　知る人ぞ知るであろう。アルジェリアは近代的な重工業化に邁進すべく開発を独裁または新興官僚集団で行いつつあった。アルジェから東へ600キロメートルの港町スキクダは独立戦争の爪痕だけ残して、ほかに何もなかった。そして後半、居を移したアルジェには夜な夜な秘密警官が這い回っていた。きつい、限りなくきつい社会であった。産油国のバラ色の経済成長を説く評論家に対し「木に竹を接いでも土壌が堅固なら数年は保つでしょう」と応えたのは、この時期からの経済至上主義への懐疑感であったからだろう。

　急転　突如の帰国、一年後に再度、休暇をもらってパリへ。研修室の助手をやりながら、何十日徹夜が続いたであろうか。そして約600頁の論文審査には2時間50分を要し、会場に100人位、傍聴しているのに終わるまで気付かなかった。この分野では日本人の第1号と言いながら、満面の笑みで恩師 Le Due 教授は博士号を与えてくれた。

　帰国後、縁あって、海外経済協力基金に奉職し、翌年には再びアラブへと、78年にエジプト、カイロの初代主席駐在員として赴任した。先ず事務所開設の荒仕事、イスラエルとの平和協定を結んだ直後のエジプトは、老朽化した社会施設の裡に貧しい人々が溢れていた。だが、荒削りでも何かたくましい復興の意欲のようなものがリーダー達との交渉の中で感じ取れた。この時期の3年間に10倍に増大する借款と日々あたかも格闘を続けたような、記憶の濃い駐在生活だった。そして、この間、中近東、北アフリカの国々を幾度となく駆け巡ったようである。帰国後も16年間、ほぼ毎年のごとく通いつめたエジプトの記録や感興を「旅人の思い出——19年目のカイロ」と題して、1996年夏ロンドンからの帰路に記して基金に投稿した。エジプトから帰国後の数年間も中東、大洋州、アフリカ、アセアンと担当は何時も現業であった。

4　コンサルタント、大学教授

　基金を離れて、コンサルタント会社に奉職し、現場の実績を積むことになった。自らの役割を内部に明示出来なかった経緯はあるが、忍の一字で過ごした。この時期の経験も後に自営業の基礎になったのだろう。中東、アラブ、北、西、東のアフリカへの出張、タイ、フィリピンでの長期労働。そして自営に転じても自社営業とか称して、旧東ヨーロッパ5ヶ国、インドシナ3国、モンゴル、中国など出張の数も途上国での仕事の数もよく覚えていない。2年半後からは、毎年、年の終わり迄、自社の売上高も全く

カラコルムの市場（1995年2月）

知らないで仕事を楽しんだようだ。読者諸兄には筆者がコンサルタントであった86年から96年末の間の実話が一番面白そうなのだが、先輩が多士済々と居られることなので、控えに控えていなければならないと思う。ただ、一つの事実として言えることは、楽しくても苦しくても会社の責務だけを厳守したことであろう。

　96年10月末、税務署に晴れ晴れと対応した後、ピタリと仕事を止め、

148

翌年３月末まで三つの予定講義の準備に没頭した。幸い、文部省はフリー
パスしたので、現在の職の教授に着任したのだが、「国際援助」、「開発金融」
とどの教科書をみても何故かしっくりしない。何十冊読んでも、それぞれ
超一流の知識人のものでも、生々しい途上国のイメージや利害が相克する
社会集団の姿が浮かんでこない。そこで、自己流に70講分のレジュメと
700ぐらいの資料を作ってみた。大学の職は若い頃やってみたかったのだ
からやってみる、とそれだけの理由で着手した。実際は毎週名古屋に通う
のは楽ではないが、一、二度の病以外は教授会も含め皆勤のようであった。

学生達とフィリピンを訪れる（1997年1月）

また、毎年、夏は一人で南仏を、冬は学生を伴ってニュージーランド、フィ
リピン、中国を訪れる三年半を過ごした。98年春には家族４人でイタリア
巡りの卒業旅行——冒頭に出た日銀のF君の表現——も了えたようだ。

　閑話　偶然のように今夏から一年間の留学が決まった。受入予定先は南
西フランスのポー総合大学。この市はルイ王朝、初代アンリ四世が統治し
たナヴァル王国の首都で、閑寂な地方都市だがEUと北アフリカの学生や

教師が多い。

「途上国」を自分の天職と自らに言い聞かせて約40年。反省などする暇はなく過ごした。「インテリジェンスは1オルグも残らず枯渇した」と呟いている者が今から何をしようとしているのか。留学先が途上国研究の宝庫とまでにはなるまい。或いは、昨夏、パリで磯村尚徳氏が話されたように、齢を経て住むと、フランスはその社会の深奥部まで迎え入れてくれると期待しているのだろうか。ともあれ、自営業がもし破綻すればパリの小部屋で、何とかうまく行けば毎夏、南仏で過ごそうとドラマ風に賭けてみたのだが、奇妙な型でポジティブに実現しそうなのだから、後は全て成行き任せである。

来訪した事のない中央アジア、南アフリカ、中南米のいくつかの国へもこの機会に訪れてみたいとも思う。だけど、今春、同窓と同年代者が家族連れで集う土曜懇談会の友好パーティで一言、挨拶したように、「こうして、ウロウロ旅を続けていると、どこかの空港ででもドンと生命が終わるでしょう。それも良い」。その時はじめて、自分は終生現役であったとなるのかどうか私は知らない。紆余屈折の多い半生で自分と親交を続けてくれた人々、フランスの旧友達、アラブ指導層の人々、パリクラブのメンバー、旧基金の先輩、後輩、最初の会社の同期生、古きビジネスフレンド、恩師と学者さんと学生達……会員諸氏はもちろんのこと、この天性の人間好きと終世お付き合い下されたく。

2 会員紹介 （開発研究者協会 会長）

　1936年広島生まれ。広島修道中学と広島大学付属高校を卒業。東京外国語大学・国際関係コース卒業。東京大学法学部公法科卒業（この間、京都大学大学院国際政治コースに在籍、中退）。1963年東洋高圧入社、主として輸出部門でアジアへの軽工業の原料の輸出業務を担当。1970年からアルジェリア・プラスティック・コンビナート・プロジェクトに従事。1972年

ソルボンヌ・パンテオン・パリ第一大学

　からフランス政府留学生としてソルボンヌ・パンテオン大学院の開発経済
学博士コースに在籍し、のち 1976 年に博士号を取得。1977 年海外経済協
力基金（OECF）に転職。基金では南西アジアを一年担当したのち新設の
中近東北アフリカ担当のカイロ事務所設立と地域担当主席駐在員に従事。
帰国後、中東担当、アフリカ担当、アセアン担当と常に現業畑を歴任し、
その後三祐コンサルタンツに勤務。1997 年から日本福祉大学経済学部で開
発経済学、国際開発金融などを担当する教授に就任。1980 年から一年間、
フランス・ポー大学に留学し仏開発経済学と復縁を果たした。2007 年定年
退職後、直ちにフランス・エックス・プロバンス大学へ籍を置いて自由に
研究する外国人研究者として三年間滞在。帰国後、いくつかの同好者の団
体に所属し開発問題に関わっている。SRID には 1976 年二度目の留学のパ
リで、大来佐武郎先生に面会し直接、慫慂されたのを機に帰国後直ちに入
会した。三上、松本、浅沼諸先輩に次いでの古参会員である。

従事した仕事の内容

　三井東圧化学工業時代（入社は東洋高圧工業であったが、合併後のこの社名で勤務した時期が長い）とＴＥＣ時代（東洋エンジニアリング）はアルジェリアプロジェクトに従事した。

総務文書課時代

　一年工場勤務の後、法律屋だけが集まる文書課に勤務し官庁や金融機関相手の極めてルーチンな業務に従事した。金融機関には融資を受けるための担保の設定手続き、農水省には新製品が出るたびに登録を行う事、大蔵省には会社の実績を記載する有価証券報告書を作成して提出する作業と地味ではあるがなかなか骨の折れる仕事だった。ただ、企業の基礎的な運営の姿を把握するには、益する事が多かった仕事であったかもしれない。まもなく、開設後間もない輸出部に無理やりのような印象で生き抜かれた。それは能力など関係なしにこの古い老舗というべき大企業には当時、初期的段階にあった輸出作業に従事するような若年層のスタッフが不足していたことにもよるのだろう。

化学品、樹脂輸出部門　輸出部

　同社の最重要製品、化学肥料は業界第一位で業界全体が共同で中国他に輸出していたが他の化学品、樹脂、プラスチックは国内販売部門が商社を用いてアドホックに輸出を行う程度ではあったが、昭和41年に初めて輸出課をつくり後に輸出部に昇格させた。この部に所属して数年間、自分は組織勤務者としては、実に自由に活動し実績を積み上げたように記憶する。又、この部の仲間は実に気持ちの良い人々でのちのちまでも付き合いが続いている。ともあれ、最初の一年はプラスチックの原料を、続いて工業用樹脂を主に東南アジアに向けて輸出する業務は難しいというより驚くほど多忙を極めた。

　製品の銘柄数は多く、出入りする商社、小メーカーとの交渉は連日寸分の間もなく続いた。社内では工場、専門技術者集団、国内販売部門、管理

部門など広く関係部門につながり各関係先と毎回調整を要する。商品ごとにパンフレットを作成し、また製品の知識は外国人の顧客を商品技術研究所へ案内するたびに一緒に研修を受けながら習得した。夜は外部のお客とのお付き合いの往復が続く。熱意が実って毎月実績が上昇していくのが数字で表れる。空前と評されたスピードでの実績の伸びも利益率もそれが自分の営業力によるものと自認したことはない。これだけの関係部局とサポーターあればこその成果であった。また外国ディーラー達の力量による拡販の道であった。ともかくプラスチックスは半年50万円から1億5000万円へ、樹脂は0円から1億円へとしゃにむに行った営業活動はやりがいのある業務であった。加えて対象がプラスチックの加工から、繊維、塗料、紙など折から市場の東南アジアで勃興しつつあった軽工業の原料品でありこの軽工業の発展の姿はアジアの現地の工場を駆けずり回って販売に従事した経験から、何十年かのちに開発経済の実際の知識として学生に講義するほどの記憶となった。

アルジェリア・プラスチック原料生産コンビナート建設プロジェクト

　三井東圧化学工業の有力な子会社に東洋エンジニアリングというプラント建設専門の企業がある。1960年代末その時期、日本が受注した海外プロジェクトのうち最大規模と言われたアルジェリアでのコンビナート建設プロジェクトに長期出向で参加した。本国での準備期間は多くの翻訳者の世話役、エンジニアリング設計の進捗に合わせてその機械類を輸入する通関書類の作成、来日する相手国のプロマネージャーやそのスタッフへの対応など多忙ではあるが、手ごたえのある作業を行った。ここでもエンジニアーでなければ人にあらずと言えるほどの技術者優先の雰囲気に包まれていたが、それは問題ではない。彼らの世話をしているうち、自ら相互の存在理由が理解しあえ、現場での大作業の基本的関係づくりを行うことが出来た。

　途中に仏国政府給費留学生としてフランスに留学をしたが、帰国後は直ちにアルジェリアのスキクダという建設現場に直行した。日本がオイルショックに見舞われる1974年のことである。この時期、中東アラブの産

油国はこぞって石油産業の工業化を目指していた。彼らが有する石油天然ガスの原料に付加価値をつけて先進国並に輸出をして経済発展をはかろうという野心的な開発戦略をとっていたのであるが、成果は如何になったか、その後の実状がそれを物語っている。

それはともかく、建設現場での業務は知る人ぞ知る、である。このプロジェクトの初期には50〜60名の集団であったが、各人は協力姿勢ではいるものの、まず、生活というものが何らかの点でアブノーマルになっていたとしか言いようがない。仕事はすべてフランス語であるから、通訳を各部門に配置し、建設工事を進めていく。自分の役割はアドミニストレーションのダイレクターとして、日本人グループの世話役、現地労働者の総監督という立場である。この経験者は社内にはすでにかなりの数の人がいたのだが、すべて英語で対応してきたのでフランス語での対応にはやはり大きな障害が生じたようである。現場ではコミュニケーションのギャップから生じるトラブルは連日のように発生した。感情と利害が交差する現場作業から何を学ぶかと自らに問うても、出来ることはその日その場を最善で切り抜けるという行動、それだけだったかもしれない。

40年後に途上国の思い出として、その経験を記述した際、傍人から、何か記録を持っているのかと聞かれても「何もないが、その経験が酷烈だったから記憶も鮮明だ」と答えるしかなかった。相手国の底辺にいる労働階層、村人、町の小商人、ポリス、コックあらゆる種類の人々が関わり合って、利害と感情によって蠢いてゆく。その集団や個人の間をうまく調整し目的のコンビナート建設を進めてゆく。それが開発の実の姿だという痛切な実感はそれ以降、一貫して自分の信条となったようだ。短い期間でもそこでの実話や経験を列記すればきりがないようだ。でも後のコンサルタンツの業務よりもこの建設現場の経験のほうが開発の現場としては強烈な印象を残しているような気持ちがする。

3 激動するアラブ──海外経済協力基金（OECF）の時代

カイロ首席駐在員

　留学から帰って TEC の社長室に勤務しているとき、誘いがあり政府機関 OECF に奉職することになった。直接の勧誘の場となったのはほかでもない我が SRID であった。自分が給与生活者として自らの意志で転職を図ったのは生涯でこれが只一度の経験であった。OECF では先ず南西アジアのバングラデシュ、スリランカの業務担当として一年間は円借款の実施を学んだ。しかし、自分を採用してくれたのはアラブ国での経験を買ってくれたのか、翌年には新設のカイロ事務所の開設仕事を命じられ初代首席駐在員に任命された。エジプトに対する援助の増大はほかでもない、アメリカの対外政策としてイスラエルとエジプトへの援助を増強するその一環を日本政府が担がされたことによる。その増加の速度は急であり、やがて無理がたたり、ほころびが生じる結果を招く。

スエズ運河拡張事業およびスエズ運河浚渫能力増強事業

　いずれもスエズ運河庁を借入人とするエジプトにとっては大プロジェクトである。前者では浚渫の事業の進捗に応じた業務に対する管理を行い、後者は浚渫船二隻の購入の実現への協力であった。一人事務所として対応したこれらのプロジェクトには苦い思い出もあり誇らしい成果もある。後者の購入は激烈な国際競争入札がからみ、政府間のＥＮでは 120 億円と記載されていたが、競争の結果、94 億円プラス、スペアーパーツ分が 2 億円という落札価格になった。日本政府は 96 億円で開発の目的は達したのだから、それを限度として貸し付けるといい、エジプト側は 120 億円が政府間の約束だと解していた。ともかくこの残枠 24 億円は 6 ヶ月のちに相手側と根回しを行い、パイロットボートを 12 隻購入する費用に充てた。

　長年にわたるイスラエルとの準戦争状況のため、政府は国内のすべての

開発や施設の維持管理に資金を回すことが出来なかったのである。「全ての プロジェクトはフィージブルである」と公言する大臣がいるほどこの時期には多くのプロジェクトの候補があり、またそれらに西欧諸国も開発資金を提供しようとする。言い換えれば、この市場に食い込もう、そして政治的にも影響力を持とうとする動きを呈していた。

　記憶する日本の円借款対象になった、いくつかのプロジェクト名を列記しておく。自分の着任前から借款を付していた事業としてカイロ水道改善事業（Ⅰ）、（Ⅱ）、アレキサンドリア港改修事業などがある。

　加えて新規に案件形成をしたものには先述したスエズ運河の浚渫船の供給事業に加え、アスワン砂糖キビ生産改良事業、テキーラー直接還元一環製鉄所建設事業、アスワン第二水力発電事業、エルサラーム水路揚水機場建設事業、スエズ地帯電話網事業等々、自分の赴任以前は数年分を年平均にして約40億ないし50億円規模の借款供与の対象国であったものが、一挙に一年あたり500億円のノルマを実績にせよとの日本政府のお達しである。現地スタッフを叱咤激励しても結局は自分が関係各省庁を日々駆けずり回って案件の成立を図るしかない。

　それまでは弱小な省であった経済協力省の担当次官と協力、商談駆け引き、根回し、経済協力とはその実施面では大変なビジネス作業を伴うものなのだと痛感させられた。またそれ故にやりがいのある仕事であり、あたかも売り上げ実績が急成長するかのような満足感もあった。数年後いや20年後に訪れてもエジプト側の古参の担当官はよく私を記憶してくれていた。奇遇した老人のエージェントは言う。「おまえくらい相手に言いたいだけ言って議論をした日本人もいなかっただろう。だがどんな場合でもお前はエジプシャンの言い分をまず聞く姿勢があった。だからお前は彼らの間に大きな信頼を勝ち取ったのだ」と。「いや、それはあくまでお金の力である」と控え目に反対したが、彼は聞きいれない。自画自賛かもしれないが、大半の日本人が苦手とするアラブ人社会で相手との間に深い信頼を築いたと自負できる実り大きい3年間の駐在員生活であった。

中東アラブとインドネシアおよび太平洋諸国担当

　帰国後、これらの対象国の業務を担当し、案件としては非常に興味あるものに取り組んだ。インドネシアのアサハン水力発電アルミ製錬事業である。現地視察に行った折、丁度、第２ダムが完成して最終チェックとして雑巾がけをやっている作業を見学できた。作業の呼称のとおりエンジニアはダムの底に張り付いて雑巾で床を拭く、これが最終段階でひび割れなどの有無をチェックする方法なのだ。この大プロジェクトへのローンは十数本に分けてあり各対象部分の工事の進捗に合わせてディスバースしていく。大メーカーの経理マンはさすがである。一点のよどみもない説明を聞いて、ダム工事、アルミ工場の建設ともに順調に推移していることが把握できた。パプアニューギニアの電力事業の現地審査を行ったのもこの時期である。そこでの水力発電の入札をめぐる紛糾も丸く収めた。

アフリカ担当続いてアセアン諸国担当

　アフリカ担当は期間も短く現地出張も直属上司だけが出かけ、とても自分までが出かける時間がとれなかったが、対象国の数が多く、ために案件へのファインスの可否を問う役員会には五月雨のようなペースで出席せねばならない。とは親切な前任者から引き継いだ心がけであった。事実、その任期の間、間断なく役員会にかける準備に忙殺され続けたのを記憶している。しかしスタッフは熱心で有能な者が揃っており満足できるポジションであった。この間、エジプトの案件で相手国の法律最高機関のチェックによるローン契約の修正に応じなければならないという奇妙なトラブルに巻き込まれた経験もある。アフリカのある国では開発事業の建設機械類をその国の大臣が自分の邸宅に持ち込んで使用しているとかいろいろなトラブルが頻発する対象国への援助活動であった。

　続いてアセアン担当として、対象国はタイ、マレーシアの二国だが案件数、金額ともに大規模な業務部門では最重要な対象国に取り組んだ。タイは折しも東部臨海開発計画の実施に着手しており、1986 年には政府ミッションに参加して後、継続して基金審査ミッションの団員 16 名を束ねる

団長の任に着いた。このときは東部臨海開発計画プロジェットの審査対象の案件は、すべて実施訪問して監督を行った。タイ国が工業化によりテイクオフして大工業化に踏み出す転換期の大型政府開発援助であっただろう。帰国後、役員会に連続して案件への円借供与を審議する作業を行ったがこれらも何ら苦にならなかった。この部では有能なスタッフに恵まれて実りある時期を過ごした。

これ以降、民間のコンサルタントで実際のコンサルタンツ作業を行う時期が続くが紙面の都合もあり大学教授の時期と合体して記述する。

4 民間コンサルタント、日本福祉大学教授の時期

民間コンサルタント

三祐コンサルタンツという民間コンサルタントで業務に実際に従事してみて初めて学ばされる事柄は極めて多く、それまでコンサルタント・サービスをいわば管理監督してきたという立場が気恥ずかしいような一面が強く出てきた。つまり理屈で口だしはするが実際に作業を行うとなると、体力、時間、生活条件などなど開発調査、案件管理などのサービスへの制約条件が大きくのしかかってくるという事実である。また日本の援助業界におけるサービスは国内で担当官庁が企画立案だけを自らが行い、調査設計のサービスを民間に分業として与えてきたという事情の延長線上で、国際金融機関、主に世界銀行などの制度を模倣して作っていった制度であることから、ハードの技術部門がすべてに優先する性格を強く有していた。このサービスを行いながら関与した開発プロジェクトの数あるいは訪問した途上国、出張日数など相当な量になる。しかしそれらが開発の専門家としての自らを形成するのにどれだけ役立ったかと自問すると決して十分満足な回答を得られるものではない。だが、いかなる経験も「それをポジティブ思考で捉える限り必ず益するものがある」という信条を抱き続けた。その甲斐あったのか後半、この経験を手段にして自営業を試みたものである。

日本福祉大学経済学部教授

　1977 年僥倖に恵まれたのか、自分の経歴の最終段階で大学教授の定職に
就くことが出来た。基金の支援と昔パリで取った学位が多少なりと役立っ
たか。ともかく担当する対象は「開発」そのものである。ただ若干、自分
の思惑と先方の計画には齟齬があったようだった。新規の学部は開発と経
営を合体したものだが、福祉を根底に据え置こうとしたためか、この時期、
まさに流行りとなった NGO、NPO を主流として教授面々もそれを専門と
する人々を多く集めていた。しかし彼らが主役として闊歩しようと自分は
我が道を切り開くだけである。だから正統派ともいえる政府開発援助、経
済協力、開発金融などの専門を開講して若者を相手に長らくやってみた
かった先生稼業を自由自在に行った。また任期中は、2 〜 3 日、病で欠席
した以外は教授会を含めて皆勤状況なので不評はなかった。

　ところで、着任に際して準備に入った段階で何十冊か教科書的な書物を
点検してみたが、どこにも開発途上国の貧困への実感、利害相克する開発
援助の実態のイメージが得られるものが見つからない。そこで数百の資料
と 3 〜 40 件のレジュメを作成して読み切り講談風に毎回区切りをつけて
講義に備えた。ゼミも楽しく行えた。途中から大学院も担当し、ゼミ生の
育成に努めた。この大学に特筆すべき利点は留学生が特に中国からの留学
生が極めて多いことだった。大学
側の優遇措置が口コミで彼らに伝
聞されているのだと言われたが、2
年目の我が大学院ゼミの構成は 15
人中 12 人が中国学生という盛況で
あった。学部のゼミ生を連れて海
外研修も三度ほど行った。次項で
触れるサバチカルでフランスでの
研究生活も含め極めて快適な 11 年
間を過ごすことが出来た。

我が教え子ソニア・ベンスリマン。博士号授与の日

フランス・ポー大学での13ヶ月と学会参加

　着任3年目、研究科委員の仲良しの勧めによりその機会に気がつき、急きょ手続きを行い、フランス南西部にあるポー大学で、サバチカルとして自由な研究生活を送らせてもらった。福祉大学へ着任の初年度の夏、学生の留学先の調査として南仏を主にして、いくつかの大学を歴訪しておいたのが役に立ったのだ。住居探しも市の助役さんの協力で市の中央部のマンションの中庭に面した閑静な一室を見つけた。バルコンをとうしてピレネー山脈の霊峰が毎日眺められる。丁度子供のころ4年間、毎朝目覚めると四国山脈が目に入る生活をした記憶と同じ快適さで、諸事万端に便利で快適な生活であった。フランスはパリの生活を一度しか知らなかった家内もポーの一年だけでも福祉大学には大恩があると漏らしたほど、かけがえのない思い出となったようである。大学のキャンパスは広くまた通うのも便利だった。久しぶりの経済学の講義についていくのは、かなり苦心したが、ともかく慣れを取り戻すという有意義な毎日であった。とりわけ、優遇してくれた Serge Rey 夫妻、各講義で聴講生に溜息まで漏らさせる Le Casheux 教授、仲間のフランス人、セネガル人、モロッコ人、チュニジア人達も限りなく親密な感じで接してくれた。

　またこれを機にフランス開発経済学会に何十年かぶりに復帰した感があるのは学会に定期的に参加する習慣を見出したことであろう。2001年から参加して今日2016年まで親しんだＡＴＭ「第三世界」での発表や討論は私の経歴の最終的な努力の対象であった。そしてこれを機に2006年にはパリ第九大学（ドッフィーヌ）で Mme Sonia Benslimane の博士審査の審査員の役を要請され数年の準備の後に実施した。フランスとの付き合いにはこれを機に復活したのか、定年後にこの学会の副会長の誘いもあって、南仏 Aix en Provence のポール・セザンヌ大学へ籍を置き自由な外国人研究者としての生活を送ることが出来た。ここには画家セザンヌの家があるだけでなく全てが快適な生活環境だった。

フランス開発経済学会のパーティ

私の信条

　改めて己の信条を問われると、浪費の多い我が経歴を考えると、口幅っ
たい感じがして何も言えないようである。しかし多くの人は何か自分のよ
りどころになる標語のようなものを抱えて生きてきているものであろう。
自分は多くの優れた指導者に巡り合いながら、何もそれを生かしてこな
かったと痛切な反省を抱えながらも尚且つ自分の生き様はその時折にやり
たいと思ったことを追い求めてきたのだ。と肯定して生き続けている観が
ある。個人の信条としては「常に現実的感覚を持てさえすれば、自ずと謙
虚になれる」ということ。学ぶにあたってはこの信条から自分を白紙の状
態に置き学習するように努める。

　思えば癖の多い性格ながら、先生という人には特に可愛いがられた記憶
がある。集団内の行動規範は「和して同ぜず」である。恩師、岡義武先生
が講義の最終日に大きく板書されたこの標語は日本人社会において深奥な
意味を有するものであろう。同一でないと和していない。という周辺から
の圧力で自分を失うとか、不要な自己主張で調和がとれないとか、これら

の労では、どれほど多くのロスを生じたことか。また実用生活、ビジネスそして開発事業を考える際はとりわけ重要なことは「相互の利益と第三者の利益」であったのではないか。奇麗ごとはいくらでも言える。開発の理念も人道的理想ももちろんすべて大事なことは自明であるが、ひとたび現実的側面に直面するとこの関係者全部に対する利害調節に対する感覚がなければすべての行動は有意義な成果を勝ち取ることはできないであろう。

5 旅のエッセー（1） 18年目のカイロ

　夜明けのナイルは何度眺めても美しい。朝靄が覆った川面は静止したままで両岸の高層の建物が朝日に映えてとりどりのシルエットを創り出して行く。たが、美観をめでて沈思していても追憶の感傷らしきものは不思議な程湧いてこない。

　この地を訪れる度に深く痛切に感じるのは、変化が期待できないこの国の人々のメンテリティ、行動様式や社会構造と、ここを訪れている日本人の価値観とのギャップのようなものである。漠然とではなく明確に意識し、あきらめに似た感情でこの事実を眺め聞き入っている自分を、もう一人の自分がのぞき込んでいるような錯覚を屡々覚える。

　アラビック・カントリーとその社会習慣または政治経済については専門家の報告、著書、ニュース記事等が無数にあるから、ここでエジプトについてそのような評論を行うつもりは全くない。ただ少し記憶を辿って取りとめもなく語り、感興を記してみたいだけである。

　私がこの国に赴任したのは1978年の10月であった。この時の生活設定や事務所の開設に要した仕事のことは後に意識して語ることは殆どなかった。多くの場合、人はその時与えられた環境で物事を判断し、他の状況は例え聞いて推定することができても実感にはなり得ない。事務所と住居用の100軒近い物件探し、48時間以上の停電、母の死を知らせるテレックスがロンドン経由で空輸されて着いた事などは、その時その場に居合わせた

人は共感できたかもしれない。だが、経験そのものに価値があると思った
ことは殆どない。経験はプラスにもマイナスにも作用するものと 20 歳頃
から自らにつぶやき続けた習性によるのであろうか。

　無数に遭遇した言わば物理的障害よりも、間断なく直面したのがこの地
の人々や社会との軋轢（屡々カルチャーショックと呼ばれている）と有形
無形の摩擦であった。さらには日本―東京とのコミュニケーションにおい
て生じる彼我のギャップであった。勿論、外国へ出た日本人は他国におい
てもこの種の経験を経ているのだから、それ自体が価値あるわけではない
であろう。ただ「ヨーロッパ人の常識で許容できるのはアラブ社会よりア
ジア社会の方が遙かに容易であり、その領域は広い」との西欧人の言のよ
うに、アラブは西欧にもアジアにも深い異質性を示しているのであろうか。

　寧日を経ず本業に着手すると、保証状の一行の修正をたらい廻しにされ
て 40 日を要したり、面談には 1、2 時間待たされる。大臣、長官クラス
の人は「ここには市場がある。従って、you must bring the money」と言う。
淡々としてこちらは答える「Yes 閣下。しかし、お国の中に他にもマーケッ
トはあります」と。このような対話は数え切れなく続く。日々の生活は通
信不通、交通マヒ、水道泥水、物資の欠乏、不衛生等々 35 年間準戦時下
状況を続けて老朽化した社会インフラと、謂わば不信の原理を底辺にする
人的関係の中で右往左往していたものだった。

　だが不思議、この時期エジプトの一群のリーダー層には何か苛烈な希望、
衝突を回避しない野蛮な意欲のようなものがあったのではないか。また、
200 人位の日本人グループも助け合いの仲良し関係が自然に作られ、且つ
激しく動けば何等かの成果が得られると燃えていたのではなかったか。こ
れは、対イスラエル平和条約を結んだ同国にアメリカの政策に合わせて日
本の援助資金の導入を急膨張させた時期だったからであろう。

　数年後、当時親交のあった老エジプシャンに奇遇した時「お前にお世辞
は不要である。お前は言いたいだけ物を言い口論した。しかし、何時もま
ずエジプシャンの言い分を聞く姿勢があった。だから、多くの人に信頼さ
れ成功したのだ」と言ってくれた。だが、それは単に資金の力のお陰であ

ると答えた。また最初に行った者のアドバンティジに過ぎない。とは言え、相手側は殆どが直接には日本人そのものに馴染んでいなかった頃である。約束には度々落とし穴が生じる。援助案件の形成、申請、実施の全過程では虚々実々の駆け引きあり、競争あり、議論は屡々過熱し、トラブルは間断なく続出した。日常の行為はスタッフを叱咤しながら現実的解決を図ることに尽きた。時折日本からの客があると真夜中の空港で囲碁を打ちながら待つ。客の案内は好きな作業の一つであった。「ひっちゃかめっちゃか」の表現がぴたりと嵌まるような日常が生き甲斐を日々感じさせてくれたのかもしれない。

　この地を去ってからも毎年のごとく訪れて眺めていると、数年を経て相対的退潮の時期がやって来るのを看た。国際政治の舞台下で西側資本が急激に借款を梃に上陸した。米国のドル経済のごく一部でもこの国にはもろに覆いかぶさり、一度導入したドルは米国バンキングシステムが機械のように吸い上げて行く。開発案件の中断、停止、異常に膨らむ債務の増大から、80年代後半には返済ストップしか方法がなくなった。この時期に仕掛り品のトラブル・シューティングで駆けめぐった。あの気違いじみた錯覚、誤解、無関心そして説明不可能の混乱は老朽化した同国の行政機能の体質そのものであると言っても過言ではないであろう。それは同時に巨大な資本と政治のうねりの中で、老体が動けなくなって、じっと眠っている態にも受け取れた。だが然し、不思議な国際政治力学ではある。湾岸戦争に対する姿勢が西側にとって好ましかったとして債務は削減され、同国は90年初めからは外資導入勧誘を各国に投げかけている。また、ＩＭＦグループの優等生では決してないであろうが執拗に自国通貨の交換レートを固持し、ＩＭＦを同意させている。イスラエルの選挙の結果を見て、またエジプトの出番であるかと新装の高層ビルに居を構えた外務省にはアラブ要人の往来が激しいと聞く。

　経済インフラへの投資と修復には15年を要したのであろう。意識してこれらを眺めれば昔日の感がある。運輸、通信、建設、水道、工場団地などがこれ程までに整備されるとは80年代初めに誰が正確に予見しただろ

164

うか。それでもなお外資が生産活動を行うには幾多の支障がある。関連産業や規模の経済があるか。産業・社会構造は根本的変革を遂げたか。日本の公的借款は長期にわたって止まり、相手側は表面的には懇請はしていない。だから明日の採算を求める日本企業は概ね動けない。「熱烈に勧誘してもなぜ来ないのか」「何がボトルネックなのか」と政府高官に問われると抽象論でしか答えられない。投資側にも選択権があるのだから、市場として魅力に乏しいのだと言ってしまうのか。日本の戦後復興の成功例をレクチャーライズするだけで終えるのか。善意で相当数の相手国にこれを行ってきたのであろうが、本気で望まれたなら大いに有益なのだが相手の本音を聞くと余りありがたがられてはいないようだ。

　アングロサクソン並の国際政治力がないのだから投資効率だけで行動するのはやむを得ないと思い続けたが、何か別の視点は導入できないのであろうか。つぶやきながら、連日効率の悪い資料集めを続けていると偶然が重なったのか、現職の大臣の他、元工業大臣、元建設大臣、元県知事、元総裁に次から次へと会食、自宅へと招待を受けた。良き日への懐かしさだけではない。現在と近い将来の具体的な開発案件、開発構想について彼らは何と詳しく知っていることであろう。自らが最終的意思決定者としては関与しない、機能もしないとよく承知している。また次の世代が官僚機能も企業の指導者も新しく育てれば良いと言葉では言っていても、彼らは国家の意思決定に今もなお近い印象を与えられるのは何故なのか。

　15年を経て再び西側諸国とアラブ諸国を呼び込もうとする同国で、新社会構造を造る過程にも古き知恵や人脈、社会的基盤が深く根付いていることを肌で感じ続けた。そしてまた旧指導者の方々に国家開発の見果てぬ夢があることも。

6　旅人のエッセー（2）　ポーで過ごした一年

「今、なぜフランスにいるのですか」（その歳で？）高校の同級生の女性が

素朴な疑問をメールしてきました。それでこの制度を利用したサバティカル留学で、2000年7月から翌年8月末までスペインとの国境に近いポー市で久々にフランス語漬けの学生生活を送っていますと返事しました。

　中世のナバール王国の首都であり、ブルボン王朝の創始者アンリ四世の生まれた城のある丘の上に造られたこの閑静な都市は、詩人ラマルティーヌが「海上はナポリ、地上はポーが世界一の景観だ」と褒め称えた美しい街です。

　キャンパスは町の中心からバスで15分、広々とした緑地に囲まれていました。博士コースは昔と変わらず老若男女、国籍も様々でしたが、中でも地域経済統合の専門家であるLe Casheux教授の博識とその明晢な講義には惚れ惚れしました。苦手なパソコンも、バルコンの向こうのピレネー山脈の雪を眺めながら毎日コトコトと作業していました。また、多くの学会に参加できたことは大きな収穫でした。ポー大学で数回、他にツールーズ、パリ、ラバト（モロッコ）など機会を見ては参加しました（帰国後も病みつきとなって毎年渡欧しています）。学会では必ず開催都市主催のレセプションが行われるのが印象的でした。そして何時しか学会「第三世界」のコミティ・メンバーに選ばれていました。

　旅行もしました。中欧、スペイン、ポルトガル、コルシカ島、シシリー島、果ては中米のコスタリカ、エルサルバドル、グアテマラへ。そしてポーに近いバスク地方の町々、バイヨンヌ、ピアリッツ、サン・セバスティアンへも。そして30数年前、パリ大学留学時代に仲間から「大いなる旅行者」と呼ばれたことを思い出しました。

　ポー市の郊外にはヨーロッパ大陸で一番古いゴルフ場があり、年会費10万円で毎週通いました。何時行ってもラウンドできました。顔なじみもできたし時にはコンペにも参加しました。そういえば、大変上手いスコットランド人に「ここを造ったのは英国人ではない。スコットランド人だ」と怒られたことがあります。英国とスコットランドは同じではないということですね。

　ここでの生活は、喧噪・闘争・効率などは鳴りを潜め、空間・時間等す

べてが余裕に満ちているように思われました。私も何時かこのような真に
ゆとりのある生活を得ることができるでしょうか？

7　三祐コンサルタンツにお世話になって

　自分は海外経済協力基金からお世話になって、自営業に転じのちに大学
教授を 11 年やって世に言う定年を迎えて、またそののち南仏で 3 年の外
国生活をおえ今がある。

　冷汗三斗の気持ちで三祐さんでの偽りのない失敗談を数行に縮小して述
べて若者への自戒の種を提供しよう。基金という組織は銀行ではないが金
融機関である。採用の仲介に当たった技官（副社長）は自分の役所の農水
省と同じと考え、在籍した 5 年後の最後まで私を中級の技官と同様の立場
に置いた。

　採用した側の個人の活用の仕方などには問題はない。サラリーマンは全
て給料をもらう会社の業務に合わせて仕事と行動をするのが基本である。
しかし、仲介者の個人が自分の臆病か錯覚で、金融機関の事務屋を技能者
（技術顧問）として扱えばその事務屋は技術者としては役に立たず 1、2
年で破滅するのである。数年後に同じ期間から同じ採用法をして後輩が採
用されたが彼も間もなくやめた。

　コンサルタンツで活動する人々は「組織とは外から接触している間はそ
の本当の機能は理解できないものだ」「事務屋はポジションを与えて、つ
まり半人分でもよいアシスタントを付けて組織間の仕事、つなぎを定期的
にやらせよ」というふうな基本中の基本を学んでいないと外からの人の採
用に間違いを犯すことになるのだろう。

　とはいえ「禍福はあざなえる」の教えに従い三祐さんで手についた技能
を利用して数年は自営した。そして早いものだ、三祐さんを去ってもう 20
年になるが、今も懇意な人とは会談をするし、会社には挨拶に行く。自分
の人間好きの天性は少しも変わらないしそれで良いのだろう。

今井正幸（イマイ　マサユキ）

1961 年　東京外国語大学仏語部国際関係コース卒業
1963 年　京都大学法学部大学院国際政治学科入学、中退
1964 年　東京大学法学部入学
1966 年　東京大学法学部公法学科卒業
1966 年　東洋高圧工業株式会社（現三井化学）入社
1972 年〜 1974 年　フランス政府給費留学パリ大学 1（ソルボンヌ・パンテオン）博士
　　課程。1976 年パリ 1 大学、経済学博士号授与
1977 年〜 1987 年　海外経済協力基金
1987 年〜 1997 年　開発コンサルタンツ
1997 年〜 2008 年　日本福祉大学経済学部教授（開発経済学、国際援助、開発金融）
2000 年〜 2001 年　フランス・ポウ総合大学留学
2007 年〜 2010 年　フランス・ポール・セザンヌ大学（エクス・アン・プロヴァンス）
　　客員研究員
主要業績：
博士論文『日本の開発途上国への政府開発援助と民間投資』(aide financière et investissements
　　des capitaux privés japonais dans les pays en voie de développement) 1976 年
共著、『ブルガリア国鉄鋼業の再構築と近代化』国際協力事業団、1995 年
単著、『入門国際開発金融』亜紀書房、2001 年
共著、『市場経済移行諸国の理想と現実──グローバリゼーション下の可能性』彩流社、
　　2003 年
共著、『市場経済下の苦悩と希望── 21 世紀における課題』彩流社、2008 年
単著、　Un economiste japonais parle sur l'ère prosperité de L'Asie ヨーロッパ大学刊、2018
　　年（日本のエコノミストはアジアの繁栄の世紀を語る）

エコノミストの眼──開発（かいはつ）の世界（せかい）に埋（う）もれて

2020 年 5 月 10 日　発行　　　　　　　　　　定価はカバーに表示してあります

　　　　　　　　　　　　　　　　　　　　　　　　著　者　今 井 正 幸

　　　　　　　　　　　　　　　　　　　　　　　　発行者　河 野 和 憲

　　　　　　　　　　　発行所　株式会社　彩流社
　　　〒 101-0051　東京都千代田区神田神保町 3-10　大行ビル 6F
　　　　　　　電話　03 (3234) 5931　FAX　03 (3234) 5932
　　　　　　　　　　　　http://www.sairyusha.co.jp
　　　　　　　　　　　　　　　　　　印刷　モリモト印刷㈱
　　　　　　　　　　　　　　　　　　製本　㈱難波製本

読者の皆さまへ

この小論文集を拝読願える読者諸氏にお礼の気持ちを込めて一文を付することに致します。ご一覧願えれば即座にご判断頂けるように、これは筆者の来し方の作文集のような観の作品であります。

全体の要約を以下に述べてみるのをお許しください。

第I部はこの書を思い立った動機にもなったのですが、ヨーロッパ大学が提案してくれて刊行した私のヨーロッパで発表した論文集の要約であります。彼我の研究慣行の相違とか言葉の違いの壁とか克服すべき障害は多くあったのですが、18年間、毎回参加した学友たちとの交流を通じて意義ある経験を得たささやかな証でもあります。

課題はアジアの統合にむけての努力の経済的、政治的諸問題を論じ、且つはフランスと途上国の研究者との意見交換をへて集約できたものであります。社会の全領域に亘ってアメリカの参加を得てその主導のもとにアジアの統合をも進展させるべきという風潮の強い日本の環境の中で、アメリカの持つ特性と巨大な影響を抽出してその方法の非現実性を説いています。

第II部は専門誌や学会誌に投稿した時事論文集であります。前半ではイラク戦争の課題、ユーロの危機の課題など後追いになるかもしれませんが、その各時期における筆者の考察をまとめたもの、

後半は専門誌でなく専門家の集いの中で公的援助の仕事を通じて、ODAへの批判論に応えた形のものであります。

第Ⅲ部では相変わりもせず、饒舌を振うのか、社会構造、歴史問題、社会問題に対する意思決定の課題など、各々その時期に応じて投稿したものであります。

最後の第Ⅳ部は、皆さまが容易に推測されますように筆者の雑多な職歴に準じたエッセー風の回顧文であります。

唯一触れてないのが自分の私的環境についてでありますが、これは機会があれば全く別のカテゴリーの形態で記してみたいと思っています。職歴は大化学会社の輸出マン、プラント輸出、政府の援助機関、開発コンサルタンツそして最後は大学教授で開発経済を論じました。当然ながらこの作品集も分散的で錯綜せざるを得なかったものです。ただ最後まで付き合いが継続したのはフランスの同じ学会の関係者でありました。自分は数年前から歩行が困難になったので、意識が明朗である間に生涯この人間好きに慣れ親しんでくれた人々にお別れの言葉を献上したいと念じつつ、東京を襲ったコロナの台風のうち、個室に籠ったままで筆をおきたいと思います。

二〇二〇年四月吉日

今井正幸